ChatGPT活用法

「書けない」「思いつかない」「できない」がなくなる!

ChatGPTで一番ラクして頭のいい人になる

岡崎かつひろ

まえがき

あなたが「思いつかない」「書けない」で困った時
どんなふうに解決していますか？

1．一晩中悩む
2．Ｇｏｏｇｌｅ検索する
3．自分より頭のいい人に聞く

これからは〝それ〟やめましょう。

正解は、「ＣｈａｔＧＰＴを使う」こと。

もっと安全に過ごしたいと思ったから家ができました。
もっと早く移動したいと思ったから車ができました。
もっと便利に生活したいと思ったからＷｅｂができました。

もっとラクして
頭のいい人になりたいと思うなら、
ChatGPTを使えばいい。

これからは「書けない」「思いつかない」「できない」悩みは
ChatGPTに解決してもらって、本当に大事なことに頭を使う時代。

新しい技術やサービスは私たちに新しい生活をもたらします。
記憶力が悪くなるからと電話帳を全部暗記する人はいませんよね?
便利なサービスを活用して、人生をもっと豊かにして良いのです。

やり方はたった3つのことを覚えるだけ。

困ったことはChatGPTに解決してもらって、
人生を充実させる第一歩を踏み出しましょう!

contents

chapter 03

chapter 04

chapter 05

chapter 06

chapter 06

※ChatGPTは随時データの更新を行なっています。本書では2024年2月時点での情報を掲載しています。

はじめに

昨今のニュースなどでも話題のChatGPT。でも、

「ChatGPTには興味があるが、使い方がわからない」

「ChatGPTを使ってみたけれど、期待した答えがなかった」

という方も多いのではないでしょうか。

さらに、

「仕事を楽にするために、ChatGPTの活用には興味がある」

「ChatGPTを使って趣味を極めたい」

という方もいらっしゃるかもしれません。


この本はそんなChatGPT初心者のために書かれた本です。

chapter 01

ChatGPTができること、できないこと

01-1

「面倒臭いことが簡単にできる」のがChatGPT

あなたにとって「やった方がいいけど面倒臭くてやりたくないこと」って何ですか？

例えばメールやＬＩＮＥの返信文を書くこと。

正しい敬語は何か？　どんな言い回しをしたらいいか？

いろいろ気にしているうちに返信が遅くなり、そのまま返せずに気まずい思いをしてしまう……。こんなことって、よくありますよね？

新しい仕事のアイデア出しも、誰かの手助けを借りたいことの一つかもしれません。一人で考えていると行き詰まる。急げば急ぐほど考えがまとまらない。もっと違うアイデアがほしい……。そんなこともあるかもしれませんね。

この他、

議事録の作成
マニュアル作り
広告用の文章作り
長い文章の要約
キャッチコピー作り
英語の翻訳
シフト表作成

などなど、面倒なことが私たちの周りには、あふれかえっています。

誰か代わりにやってほしい！　他の人の意見を聞きたい！　とはいえそんな人手も資金もない……。

そんな方にとって**強力なビジネスパートナーとなるのが、ChatGPTを代表とするChatAIサービス**なのです。

本書では初心者の方でもChatGPTを簡単に使いこなし、面倒な仕事を一気に解決する方法を紹介しています。

他のChatAIであっても基本的な考え方は一緒ですので、応用できるよう、可能な限り一般的な表現を使い、現実的に使えるものに絞って解説しています。

01-2

医師よりも共感されるChatGPT

JAMA Internal Medicine誌にある論文が発表されました。これはChatGPTに健康に関わる質問をした場合、共感的な回答が可能かという実験結果です。

実験方法は次のとおりです。

①

ソーシャルメディアにおける健康に関わる質問を195個選択する。

例）爪楊枝を飲み込んでしまった場合、死亡する恐れがありますか？

ランニング中に金属棒で頭部を打撲し、コブができて頭痛がする場合、受診すべきですか？　など

▼

②

それらに対する回答を医師とChatGPTで比較し回答ごとに3通りの評価を行う。

この結果、なんと78・6%の患者が、医師よりChatGPTの回答の方が共感することができると評価しています。もちろん常に実務に追われている医師より、ChatGPTの方が有利という解釈もできるでしょう。しかし忙しい医療の現場において、時間をかけて患者に説明をしたり、資料を提供することは難しいのも現実です。

JAMA Internal Medicine誌の結論としては、臨床の場でさらなる検討が必要であるものの、ChatGPTを使って回答を作成し、医師がそれを編集することを提案しています。

この事例からも推測されるように、今後ChatGPTなどの利用は医療のみならずさまざまな分野に展開されることは間違いないでしょう。

01-3

ChatGPTは「優秀な帰国子女の秘書」

とても忙しいあなたは一念発起して、秘書を雇うことにしました。募集をしたところ、驚きの人材からの応募が！　なんとハーバード大学卒業の帰国子女が応募してきたのです。

彼女の名前は土宿愛（つちやどあい）さん。プロフィールは次のとおりです。

土宿愛
プロフィール

- 帰国子女で3歳から渡米。
- ハーバード大学卒業後、一流コンサルタント会社に就職。
- 6年働いたのち、自分の生まれ故郷である日本で働きたいと帰国。
- 語学堪能（英語、日本語、その他複数言語）
- 博学
- ロジカルシンキングが得意

- アイデア豊富
- 日本語に関して、日常的なコミュニケーションをとることは問題ないが、比喩的な表現は苦手
  （例：「猿も木から落ちる」を、得意なことでも失敗することはあるとは理解しないことがある）
- 答えのない会話が苦手で結論ファーストに考える癖がある
- 日本の時事ネタにはあまり詳しくない

あなたがこの人を秘書として使うならどんなことを注意しますか？

おそらくわかりやすい表現を心がけたり、論理的な話し方をするように努めるでしょう。

もうおわかりだと思いますが、ツチヤドアイの正体はＣｈａｔＡＩです。ＣｈａｔＡＩを使いこなすということと、土宿愛さんを使いこなすことはまったく同じと言っていいでしょう。ＣｈａｔＡＩとは、超優秀な帰国子女の秘書だと考えることで、より気軽に使いこなせるようになるはずです。

01-4

「超面倒臭がり屋」こそ、ChatGPTを使いこなせる

改めて、この本を手にとってくださりありがとうございます。私、岡崎かつひろは経営コンサルタントとして法人、個人のビジネスサポートをさせていただいています。さらに一流のビジネスパーソンを育成するために作家活動も行っており、おかげさまで本書は9冊目の書籍となります。

なぜそんな岡崎がChatGPTについて本を書くのか？　とお思いの方も多いかもしれません。その答えは私が「超がつくほどの面倒臭がり屋」だからなのです。

一人起業で仕事をしていますから、可能な限り無駄をなくして仕事をする必要があります。さらに作家業も行っているため、情報収集から資料の要約、校正など、細かい作業も多く発生してきます。そのような作業に追われてしまったら本来やるべき仕事に時間を使えません。

もちろん人を雇っていた時期もありますが、細かな指示出しやコミュニケーションなどに時間を取られてしまい、自分でやってしまった方が早いこともしばしば。その結果、プロジェクト単位で人と協力はするものの、誰かを雇うことはしなくなりました。

気がつけば人に任せられそうなことも自分でやらなければならない状況に。

「どうしたらこの作業を楽にできるか？」

「とはいえ、外注しても手間がかかるばかりだし……」

自分でやるべきか人に任せるべきか、悩みの答えがないままに仕事をしていました。

そんなことを考えていた2022年の暮れ、突如現れた文章生成型のAI、ChatGPTには大きな衝撃を受けます。膨大な知識をもって、さまざまな要望に応えてくれる。しかも無料で使うことも可能！　これを使わない手はない！　ということでヘビーユーザーに。今ではなくてはならないビジネスパートナーになっているのです。

さらに私の講座において、受講生の方々にも試していただいた結果、さまざまな分野で業務の効率化が可能だということもわかってきました。

「数時間かかっていた占いの鑑定書作りが、数分で終わるようになった」
「面倒だったメルマガの作成が、驚くほど早く終わった」
「何日も終わらず悩んでいた企画書制作が、1時間もかからずできた」

などなど、みなさん思った以上に多くの分野で活用されているようです。

「これほど便利なツールを使いこなさないのはもったいない！」と、ChatGPTに関わる本も多数読みました。どれも素晴らしい書籍ではあるのですが、専門的な用語も多く、すでに使っている人でないと理解が難しいものがほとんど。

「このような状況ではChatGPTを多くの人が活用することができない」
「もっと多くの人にChatGPTを使ってもらい、面倒な作業を楽にしたい」

との思いから、本書を手がけることになったのです。

01-5

「ChatGPTって使えない」という人の本当の原因

「岡崎さん、ChatGPTって使えないよ。秋葉原の美味(おい)しいラーメン屋を聞いてみたけど全然ダメでさ」

いやいやいや、ChatGPTはGoogle検索じゃないですよ! ChatGPTが使えなかったという人のほとんどは、大きな勘違いをしています。

帰国子女の秘書に秋葉原の流行(はや)りのラーメンを聞いてもわかりません。能力の無駄遣いです。私が彼女ならボイコットして適当な答えを返します(ダメだけど)。というか

ChatGPT-3.5に関して言えば2022年1月までのデータしか持っていません(2024年2月現在)。最新のラーメン屋は知らないのです。またネット記事に信憑性(しんぴょうせい)があるかの判断ができないので、収集されているビッグデータからたまたま出してきた答えが当たっているかはわからないのです。

ちなみに私もエゴサーチ（自分のことを調べること）してみたところ、次のように出てきました。

ChatGPTへの指示

岡崎かつひろについて教えて

ChatGPTの回答

申し訳ありませんが、私のデータベースでは〝岡崎かつひろ〟という具体的な人物についての情報は提供できません。私の知識は2021年までのもので、それ以降の情報は持っていません。

もし〝岡崎かつひろ〟についての情報を知りたい場合は、インターネット検索エンジンを利用して最新の情報を入手することをお勧めします。

これは2024年2月時点での回答です。

少し前まではこれ見よがしにまったく異なる人物、具体的には政治家として紹介されました(笑)。

ＣｈａｔＧＰＴは事実確認には非常に弱いのです。

教科書に載るような歴史的な人物であれば正確な答えも出るのでしょう。たかだか日本の一ビジネス書作家ではＣｈａｔＧＰＴから正確なデータは出てこないのです。ちなみに「ホリエモン」について尋ねたところこのような回答が返ってきています。

ＣｈａｔＧＰＴへの指示

ホリエモンについて教えて

ＣｈａｔＧＰＴの回答

ホリエモン（堀江貴文）は、日本のミュージシャンであり、主にアコースティックギターの弾き語りを行うシンガーソングライターです。彼は１９７８年10月６日に静岡県浜松市で生まれました。

ホリエモンは、２００５年にインディーズデビューし、その後、独自の音楽スタイルと温かい歌声で多くのファンを魅了してきました。彼の楽曲は、日常生活の中で感じる温かさや心の葛藤などをテーマにしたものが多く、その歌詞とメロディーが聴衆に共感を呼び起こしています。

代表曲としては、〝もし君を許せたら〟、〝春〟、〝未完成〟、〝さよならの向こう側〟などがあります。これらの楽曲は、広く知られるようになり、彼の音楽活動を支える要素となっています。

ホリエモンは、自身の音楽活動だけでなく、他のアーティストへの楽曲提供やコンサートへの出演などでも活動しています。その素朴で心温まる音楽が、多くの人々に愛されています。

このことからもわかるように、時事ネタには非常に弱い。そもそもＣｈａｔＧＰＴは、時事ネタを扱うために作られていないのです。

だから調べ物をするならＧｏｏｇｌｅ検索を使った方がはるかによいという結論になります。ＣｈａｔＧＰＴが使えないという人は基本的な使い道を間違えている可能性が高いのです。

01-6

ChatGPTが得意なこと

先日、医療従事者向けにChatGPT活用のセミナーを行ってほしいというご依頼をいただきました。みなさん、セミナーの内容に大変ご満足いただけたようで嬉しかったのですが、そこになぜかベトナム人の、システム開発会社の社長さんがいらしていました。

毎日2～3時間は使うほどのヘビーユーザーだという彼女。

もはやこのようなセミナーは必要ないのでは？　と思い率直に尋ねたところ、「感覚的な使い方をしているので理屈で理解したいと思い参加した」とお答えいただきました。

かなりの利用状況に興味を持ち、どのように使っているかを尋ねると、次のような回答をいただきました。

「日本人とのやりとりにメールを使っていますが、細かい表現がわからないことがあります。それをＣｈａｔＧＰＴを使い、日本人にも伝わる文章に直しています。またシステム開発のプログラムもＣｈａｔＧＰＴを使うことで、10倍は早く作れるようになりました。困った時のアイデア出しにも使っています。私の仕事になくてはならないものになっていますね」

まさに「面倒なことを代行してくれる便利な相棒！」

ここでＣｈａｔＧＰＴが得意としていることをまとめると、次のようになります。

ＣｈａｔＧＰＴが得意なこと

自然言語理解

文章の意味や文脈を理解し、その内容に基づいて適切な応答を生成すること。

チャットボット
ユーザーとの対話を通じた自然な会話。

言語翻訳
文章やフレーズの翻訳。
多言語間での自動翻訳に活用できます。

文章生成
タイトル、文章、詩、物語などの文章を生成することができます。

文章要約
長い文章を要約したり、重要なポイントを抽出したりすることができます。

情報検索
時事ネタではない特定のトピックに関する情報を検索し、回答を提供することができます。

プログラムコード生成
シンプルなプログラムコードの生成や、特定のプログラムの一部を提供することができます。

01-7

「オカザキ式プロンプト」で、ChatGPTを使いこなす！

私たちが「面倒臭い」と感じていることを見事にこなしてくれるChatGPT。

でも、AIと聞いた瞬間に「難しくて私には無理かも」と感じてしまっている方も多いかもしれません。でも、実はChatGPTを使いこなすのは超簡単なんです。

ChatGPTを使う上で大事なことはプロンプト（指示文）です。

簡単に言ってしまえば、プロンプトとはGoogle検索をする時の検索ワードみたいなものです。Google検索なら、1つの単語を入力するだけでたくさんの記事が出てきますよね。しかしChatGPTを使いこなすためには、単語だけではうまくいきません。

例えば、「日本について教えてください」と指示しても、一般的な日本についての回答しか出てきません。このような指示では、ＣｈａｔＧＰＴは本来の力を発揮しないのです。

ここでオカザキ式プロンプトをご紹介します。

あなたが覚えるのは、「知りたいことを次の3つのことに分けて尋ねればよい」ということだけです。

これさえ覚えれば、ＣｈａｔＧＰＴは十分使いこなすことができます。

例えばあなたはショート動画を作りたいとします。まずそのためのタイトル作りをしたいとしましょう。

次のようにすれば簡単にいくらでも作成してもらえます。

＊プロンプト例

私がしたいこと
10秒のショート動画を作りたい。

ChatGPTにしてほしいこと
大学生でもわかる表現でタイトルを3つ作ってほしい。

そのための条件
視聴者は次のような方です。
・税理士の資格を取得したい
・会社員の傍ら毎日2時間、資格取得のための勉強をしている
・税金の知識はなく0から勉強を始める

ちなみにこの指示の結果、次のような回答が得られています。

タイトル1

「10秒で学ぶ！　税理士資格への道」

タイトル2

「会社員のための2時間勉強術！　税理士合格への近道」

タイトル3

「ゼロからのスタート！　税理士資格取得の第一歩」

いかがでしょうか？

このタイトルがあるだけで、かなり次のアクションが楽になります。さらに、実際の動画原稿もここからＣｈａｔＧＰＴで作ることが可能です。

（その方法は本書の中でご紹介します）

このように、ＣｈａｔＧＰＴを活用することで仕事の大幅な効率化が可能です。

今まで頭を悩ませていたことはＡＩに任せてしまいましょう。そしてあなたが本当にやらなければならないことに注力するのです。

そのための一歩を踏み出しましょう。

何をする場合でも、この3つのポイントを意識しておけば、必ずあなたの必要とする答えを得ることができるでしょう！

chapter

02

ChatGPTの活用は1つだけ覚えれば簡単にできる

02-1

人に依頼する時と同じ点と、注意が必要な点

あなたが人に仕事を依頼する時に意識していることはなんですか？

例えば、会社の公式ブログの更新をしなければならないとします。大学生をターゲットに、会社に親近感を持ってもらい、応募数を増やすことが目的です。その担当者に指示を出すとしたら、どのようなことに注意するでしょう？

人に仕事を依頼する際、必ず注意しなければならないことは、「目的を明確に伝えること」です。

・採用のためのブログなのか？
・お客様に商品を購入してもらうためのブログなのか？
・会社の認知度アップのためのブログなのか？

これによってブログの内容は大きく変わってくるはずです。

仮に採用につなげることを目的に、ブログの更新をしてほしいとします。しかし担当者がそのことを理解していなければ、採用につながらないかもしれません。ヘタをすると会社のイメージをも毀損（きそん）しかねません。

これはＣｈａｔＧＰＴを代表とするＣｈａｔＡＩも同様です。なんのための投稿なのか理解していなければ、当然間違えたアウトプットをしてしまいます。人間なら多少は「雰囲気」で「察して」くれることもありますが、ＣｈａｔＡＩはそういったことはしてくれません。その点では融通が利く優秀な部下に軍配が上がるかもしれませんね。

しかし人間に指示をする場合、やる気のケアも必要です。ブログのケースであれば、投稿は時間もかかるだけでなく孤独な作業です。しかし続けなければ結果にならないのも事実。やる気を失って更新が滞っては意味がありません。モチベーションアップのために、まめに声をかけたり気遣いする必要があるでしょう。

ところがＣｈａｔＧＰＴはＡＩですから「気遣い」は不要です。

「いつもありがとうございます」

「お疲れ様です」

「面倒な作業が多くてごめんね」

などと声がけする必要はありません。機嫌を損ねて仕事を辞めるということもありませんし、不満があるからと適当な回答をしてくることもありません。メンタルに左右されないという点では、人間はＡＩにかなわないでしょう。


それでは、「ｃｈａｐｔｅｒ 01」でご紹介した土宿愛さんのような帰国子女に指示を出すことを想定して、ＣｈａｔＧＰＴへの指示を考えましょう。

ＣｈａｔＧＰＴは、言語理解やコンテンツ生成において驚くべき成果を上げていますが、指示を与える際にはいくつかの注意点があります。ここにＣｈａｔＧＰＴに指示を出す際に意識すべき「人との共通点」と、「人との相違点」をまとめておきます。

【人との共通点】

明確な指示を出す

ChatGPTは高度な自然言語処理技術を使用していますが、それでもなお、明確な指示が重要です。曖昧な表現や矛盾した指示を与えると、ChatGPTが意図を理解できない可能性があります。具体的で明確な指示を心がけましょう。

短い文を使用する

ChatGPTは文章全体を把握する能力を持っていますが、長い文章を解釈するには限界があります。できるだけ短くまとめることで、ChatGPTが意図を正確に理解しやすくなります。

質問形式で指示する

ChatGPTは、質問形式で与えられた指示に対して特に有用な回答を生成する傾向があります。「○○について教えて」などと指示することで、より適切な回答が得られる可能性が高まります。

文脈を
提供する

ＣｈａｔＧＰＴは過去の質問を参照できないこともあるため、与えられた指示だけで全体を把握することが難しい場合があります。必要な場合は適切な文脈を提供して、ＣｈａｔＧＰＴがニーズの全体像をより理解しやすくするようサポートしましょう。

【人との相違点】

意図の
推測をしない

人間は、言葉の裏に隠された意図を推測することができることもありますが、ＣｈａｔＧＰＴにその能力はありません。指示は明確かつ直接的に行い、曖昧な表現を避けることが重要です。

感情的な
反応を
期待しない

ＣｈａｔＧＰＴは感情を持たないプログラムであるため、感情的な反応を期待しても無意味です。冷静な分析と客観性を保ちつつ、必要な情報を適切に伝えるようにしましょう。

限界を認識する

ＣｈａｔＧＰＴは非常に高度なツールですが、それでもなお限界があります。特に専門的な知識や複雑な指示には向いていない場合があります。ＣｈａｔＧＰＴの適切な使用法を理解し、明確なタスクに置き換えることが必要です。

まとめると、ＣｈａｔＧＰＴに指示を出す時は、明確かつ簡潔な言葉を心がけるとともに、質問形式や前後の文脈を加えることでより適切な回答を得ることができます。また、ＣｈａｔＧＰＴは人間とは異なる特性を持つプログラムであるため、感情的な反応を期待したり、意図の推測を要求することは避けるべきです。適切な使用法を理解し、ＣｈａｔＧＰＴの長所を最大限に活用することで、より生産的で効果的なコミュニケーションが実現できるでしょう。

02-2

超簡単！３ステップでＣｈａｔＧＰＴを使いこなす

ＣｈａｔＧＰＴから満足のいく回答が得られるように、３つのポイントに気を配る必要があります。逆に言えばどんな高度な回答を求める場合もこの3つだけ押さえておけば、問題なく使いこなすことができます。

① 私がしたいこと（目的）

指示を出す際には「自分の目的や欲している結果」を明確に伝えましょう。ＣｈａｔＧＰＴはあなたの意図を推測することはできませんので、はっきりとした目的を持つことで適切な回答が得られる可能性が高まります。

例えば、「料理のレシピ集を作りたい」というように、具体的な目的を示すと良いでしょう。

②
ChatGPTにしてほしいこと（指示）

「具体的に何をしてほしいのか」を明確に伝えることが重要です。要約してほしいのか、意見を求めているのか、知識を提供してほしいのかなど、具体的な要求を明示しましょう。これによって、ＣｈａｔＧＰＴはその要求に適した方法で回答を生成します。例えば「レシピの一覧がほしい」「レシピの詳細を知りたい」「レシピに関わる材料を教えてほしい」などと尋ねることで、一覧や表組みなどの形で回答してくれることもあります。

③
そのための条件（条件）

指示を出す際には、条件を指定することも重要です。レシピの例なら「簡単にできるもの」「太りにくいもの」「誕生日に使えるもの」など、具体的な条件を与えることで、ＣｈａｔＧＰＴが適切な回答を生成する手助けになります。条件の数に制限はありません。まとまった文章にする必要はなく、箇条書きで十分です。あなたが条件だと思うものを１つでも多く記入してください。

それでは、自宅でも作りやすいフレンチのレシピを尋ねてみましょう。
実際にChatGPTに指示を出した例がこちらです。

＊例文1

私がしたいこと
自宅でできる美味しいフレンチのレシピを知りたい。

ChatGPTにしてほしいこと
どんなメニューがあるのか一覧にしてほしい。

そのための条件
自宅ででき、高級食材を使わないもの。

実際の回答

自宅でできる美味しいフレンチのレシピで、高級食材を使わないメニューの一覧を以下にご紹介します。これらのレシピは比較的簡単に調理できるものばかりですので、ぜひお試しください。

オニオンスープ
クラムチャウダー
ラタトゥイユ
クルミ入りサラダ
キッシュ（ハムや野菜を使用したもの）
クレームブリュレ（卵、砂糖、バニラエッセンスを使用）
ニース風サラダ（ニンニク、アンチョビ、オリーブ、トマトを使用）
ローストチキン（ハーブ、オリーブオイル、塩、胡椒を使用）
ボロネーゼソースを添えたパスタ（トマトソース、牛ひき肉を使用）
クラフトマカロニとチーズ（簡単なチーズソースで作るマカロニ料理）

これらのレシピは、フランス料理のエッセンスを取り入れつつ、手頃な食材を使用しています。自宅で楽しみながら調理できることを願っています！

＊例文2

私がしたいこと
友人への誕生日メッセージを作りたい。

ChatGPTにしてほしいこと
感謝の気持ちが伝わるメッセージを生成してください。

そのための条件
ユーモアを交えつつ、心温まるメッセージを生成してください。

実際の回答

友情って、何よりの贈り物だよね。

君の友達でいることに、心から感謝してるんだ。

君がいるから、つまらないことも、大変なことも、なんだか笑い話に変わっちゃうんだよ。

だから、君の笑顔の秘密は教えなくていいからね！

誕生日を迎える君に、たくさんの笑顔と幸せが訪れることを願ってるよ。

このまま使っていい部分と、修正を必要とする部分もあるでしょう。しかしここまで文章が出来上がっていれば、その先の作業が非常に楽になることは間違いありません。

何をする場合でも、この3つのポイントを意識しておけば、必ずあなたの必要とする答えを得ることができるでしょう！

02-3

まずはログインしよう

それでは実際にChatGPTを使っていきましょう！

ChatGPTには、アプリケーション版とWebブラウザ版があります。どちらでも使いやすい方で問題ありません。私の個人的な感想で言えばWebブラウザ版の方が使いやすいと感じています。そのためここではWebブラウザ版を活用することを前提に解説していきます。

②
ログインする

ChatGPT

https://chat.openai.com/auth/login

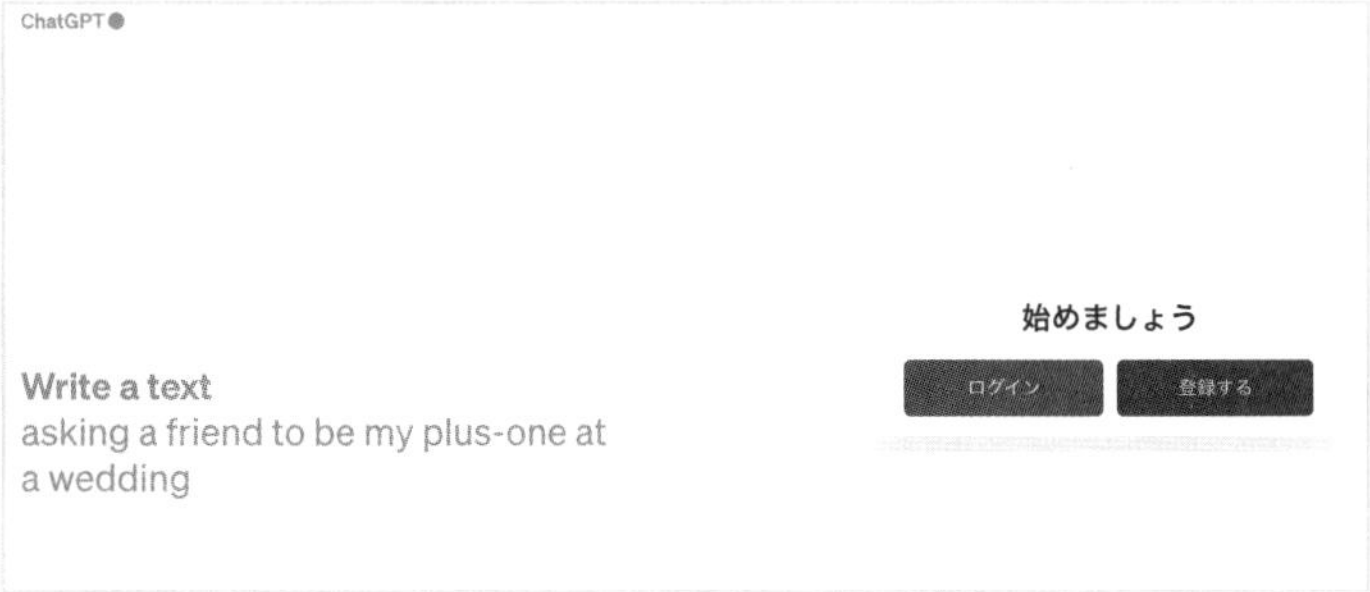

ChatGPT●

Write a text
asking a friend to be my plus-one at
a wedding

始めましょう

ログイン 登録する

初めての場合は「登録する」をクリックし、画面の指示に従って登録してください。

すでに登録済みの場合は「ログイン」をクリックし、パスワードを入力してログインしてください。

有料版と無料版のどちらが良いかという質問もいただきますが、基本的には無料版で問題ありません。有料版の方が早い＆少しだけ賢いという程度です。使用頻度が高く、速い回答を求めるなら有料版にしてみてください。

02-4

たったこれだけ！ ChatGPTの使い方

これまでもたびたび出てきたプロンプト（指示文）という言葉。これはGoogle検索で使う検索窓と同じように、図の下の部分に入力する指示文のことを指しています。

改行する必要がある時はシフトキーを押しながらエンターキーを押してください。

内容が確定したら、エンターキーもしくは送信ボタンを押して指示を送りましょう。

ChatGPTの回答が長すぎる場合、途中で文章が切れることもあります。その時は「続き」や「続きを書いて」と指示を送りましょう。続きの文章を生成してくれます。

意図した回答と異なる回答をされている場合には、「⏹」を押すと回答が止まります。

新しい話題について質問する場合は「New chat」を押してください。新しい入力画面になります。

ChatGPTの利用方法はこれだけ！

何も難しいことはありません。あとは活用できる使い方を覚えていきましょう。

ここを押すと回答が止まります

新しい話題について質問する場合はここを押します

New chat

02-5

ChatGPTが苦手なこと、得意なこと

ここでChatGPTが苦手なこと、得意なことをまとめておきましょう。

練習も兼ねて「ChatGPTが苦手なこと、得意なこと」を、ChatGPT自身に尋ねてみましょう。

「Chapter 01」でも書きましたが、ChatGPTはGoogle検索ではないということを大前提として認識しておきましょう。時事ネタを検索されても答えようがありません。最新情報に関わる質問をすると、「2022年1月までの情報しかわからない」という回答が返ってきます(GPT-3.5の場合・2024年2月現在)。また実際に活用してみても、世界的な有名人や世界的なニュースでない限り正確な答えは返ってきませんでした。

例えばニュースで国会議員が「日本の政治についてChatGPTに聞いてみた」などの話をしていましたが、これはナンセンスです。最新情報が入っていない中で、政治判断などできるはずがありませんよね。

なお無料版ChatGPTではGoogle検索の機能を使うことはできませんが、有料版のプラグインを導入することで、検索機能を使うことは可能です。本書は初心者向けを前提にしていますので詳しい説明は割愛しますが、気になる方は有料版をお試しください。

つまり、**ChatGPTは調べものをするためのツールではないと考えていただいた方が良いでしょう。**回答の真偽について確認の上、活用するようにしてください。ただしこれは無料版GPT-3.5の場合の状況です。2024年以降ではChatGPTでも最新情報にも対応できるように開発が進みました。有料版については問題なくWeb検索が可能です。

ChatGPTが苦手なこと

感情を感じること

ChatGPTはとても賢いAIですが、感情を持つことができません。例えば、喜ぶことや悲しむことはありません。あなたが「嬉しい！」と言っても、ChatGPTはその気持ちを理解することができないのです。

未来の予知

ChatGPTは未来を知ることができません。例えば、「明日発表される宝くじの当選番号は？」と聞かれても、答えることはできません。未来のことは誰にもわからないからです。

具体的な場所や人の個人情報

ChatGPTはインターネットにアクセスできないので、特定の場所や人の個人情報についてはわかりません。例えば、あなたの家の住所や電話番号を聞いても、ChatGPTは答えることができません。

リアルタイムな情報の提供

ChatGPTは知識のカットオフがあるため、最新の出来事や情報を教えることは苦手です。例えば、最新の映画情報やトレンドについては詳しく答えられません。

ChatGPTが得意なこと

質問に答えること

ChatGPTは、質問に答えることが得意です！ 例えば、「1+1は?」や「世界で一番高い山は何ですか?」という質問に、素早く正しい答えを教えてくれます。

ストーリーや問題を解く手助け

ChatGPTは物語や問題を理解して、その筋や解決方法を教えてくれます。例えば、「おとぎ話を教えて！」と言えば、素敵なお話を教えてくれるし、「18個のリンゴを、3人で分けると1人何個になる?」と聞けば、答えを教えてくれます。

知識を教えること

ChatGPTはたくさんの本やインターネットから学んだ知識を持っています。例えば、動物の特徴や国の名前、歴史の出来事など、いろんなことを教えてくれます。

言葉遊びや面白い回答

時にはちょっとユーモアを交えたり、面白い返答をしてくれます。例えば、「おかしい質問」をすると、面白い答えを返してくることがあります。

ちなみにこの2つの回答はChatGPTに次のように質問して得られた回答を編集しています。

プロンプト　ChatGPTが得意なことを教えてください。
条件　・小学生でもわかるような表現を使う　・具体例を入れる

ChatGPTは文章生成、考察、推理が主な機能です。
このことを念頭に使いこなしていきましょう。

chapter

03

質問上手になって欲しい答えを導き出そう

03-1

ChatGPTを使いこなすポイントは質問力

「あなたの今いる場所にはいくつ電灯がありますか？」

この質問をよく私の行うセミナーでさせていただきます。するとほとんどの受講生はその場にある電灯を数え始めます。人間面白いもので、数えてくださいと頼んだわけでもないのにちゃんと数えてくれる。これは脳が「質問に対して答えたい」という欲求を持っているから起こる現象です。

実はChatGPTも可能な限り質問に答えるように努力をします。最近は以前よりも変なプライドがなくなったのか、わからないことはわからないとちゃんと答えてくれるようになりましたが、以前はたとえ嘘情報を使ってでも全ての質問に答えてくれていました。ありがた迷惑ですよね（笑）。

ＣｈａｔＧＰＴを使いこなす上で必要とされる質問力は、人間同士の会話で必要とする質問力と何も変わりません。ただ気をつけるべきポイントがあるのです。

人間とＣｈａｔＧＰＴの質問された時の違い

◆人間の場合

・曖昧な質問でも察してくれる
・前後関係で何について聞かれているのか判断してくれる
・質問によっては不快さを与えてしまう
・悪意を持った回答をされるケースがある

◆ChatGPTの場合

・曖昧な質問だと欲しい答えをくれないことが多い
・多少の前後関係は加味してくれるが、
基本的には直前に聞かれていることをもとに判断する
・感情がないため不快さを与える心配はない
・常にAIなりに善意ある回答が返ってくる
・情報が間違っているケースもある

例えば人間同士でのコミュニケーションにおいて、同じことを何度も聞くのは嫌がられることでしょう。しかしChatGPTの場合、思ったような答えが返ってこないようであれば、何度でも聞き方を変えて同じ質問にトライすることができます。ただし、同じ質問を繰り返すだけでは察してくれないので望む答えは得られません。

ＣｈａｔＧＰＴは常にロジカル（論理的）に考え、アイデアを出してくれます。適切な質問と判断する材料さえ十分にあれば、普通の人が考えるよりも遥かに早く、たくさんの答えを考えてくれます。

もしあなたがＣｈａｔＧＰＴから思ったような回答を得られないと感じているとすれば、質問の仕方を変える必要があるのです。

この章ではＣｈａｔＧＰＴで活用できる質問の技術をお伝えしていきましょう。

03-2

具体度の高い質問をしよう

もしあなたが次のように質問されたらなんと答えますか？

「今後の日本を良くするためにすべきことは何ですか？」

おそらく質問が大きすぎて答えに困ると思います。絞り込んでいくと、

東京を良くするなら＞港区を良くするなら＞新橋を良くするなら

となります。ここまで絞り込んでいくと回答も明確になってきます。

つまり、抽象度が高い質問というのは答えも抽象的になってしまいますが、具体度が高い質問には具体的な回答が可能だということです。

これと同様に、ＣｈａｔＧＰＴに質問する時には適切なサイズ感（具体度と抽象度）で質問する必要があります。適切なサイズ感にするために、得たい答えに合わせて質問をパーツごとに分けていくとうまくいくでしょう。

例えばあなたが「成功したい」と考えたとします。この答えをＣｈａｔＧＰＴに聞いてみましょう。

質問：「どうしたら成功できますか？」

この質問では、抽象度が高すぎて一般的な答えしか返ってきませんよね。そこで具体的に考えます。

「どんな分野で」「どのくらい」成功したいのか？

↓音楽で誰でも知っているミュージシャンとして成功したい！

すると質問はこうなります。

質問：「どうしたら音楽で誰でも知っているミュージシャンとして成功できますか？」

しかしここにも曖昧さが残っています。

音楽とは何を指しているのでしょうか？　歌でしょうか？　ピアノでしょうか？
ヒップホップでしょうか？　ジャズでしょうか？

また誰でも知っているという定義は何でしょう？
ＹｏｕＴｕｂｅの登録者数でしょうか？　それとも音楽番組に出ることでしょうか？

「もし自分がミュージシャンだったら」ということをイメージしながら、より具体度の高い質問をしてみてください。そうすれば「なるほど！」と思える回答が返ってくるはずです。

　このように具体的な質問をしていくことで回答の具体度を上げていくことができます。もしＣｈａｔＧＰＴに聞いても思ったような回答が得られない時は、自分の質問の具体度を上げるようにしてみてくださいね。

03-3

動画のタイトルと台本を作ろう

例えば「chapter 01」でご紹介したショート動画の場合で考えてみます。
ショート動画原稿を作るための中身は次のようになります。

#ショート動画原稿のパーツ

テーマ
目的、ゴール
視聴対象
タイトル
台本

ＣｈａｔＧＰＴは補助ツールです。だからここでは「テーマ」「目的、ゴール」「視聴対象」は自分で決め、「タイトル」「台本」をＣｈａｔＧＰＴに作ってもらう前提です。実際には「テーマ」「目的、ゴール」「視聴対象」を作ることの手助けにもＣｈａｔＧＰＴは使えますが、その方法は後述します。

ＣｈａｔＧＰＴに質問する時には、川の上流と下流をイメージしてください。ＣｈａｔＧＰＴは上流から作っていくとうまくいきます。ここで言う上流はタイトルです。タイトルが決まるとその中身も決まっていくかと思います。

木を見て森を見ずという言葉もあるように、小さなところから入ると全体が見えなくなります。ショート動画原稿の作成の場合には、タイトルが森、台本が木という具合です。

ｃｈａｐｔｅｒ 01では、ＣｈａｔＧＰＴにオカザキ式プロンプトに沿って指示を出し、次の動画タイトルを作ってもらいました。

タイトル１：「**10秒で学ぶ！　税理士資格への道**」
タイトル２：「**会社員のための2時間勉強術！　税理士合格への近道**」

タイトル3：「ゼロからのスタート！　税理士資格取得の第一歩」

この中で自分の作りたい動画のタイトルと一致したものを探しましょう。もしなければ「他に10個タイトルを作って」と指示すれば、いくらでもアイデアを出してくれます。また条件を足したり引いたりすることで、違う視聴者を想定したタイトルも得ることができますから、最初の構文をコピー&ペーストして追加の条件を記載してください。

ちなみに「条件に〇〇を追加してキャッチコピーを作ってください」などと指示することもできますが、思ったような答えが得られないことも多いので、まずはオカザキ式プロンプトに沿って指示をしていきましょう。

タイトルが決まったところで、次は台本作りをしてもらいます。

次のようなプロンプトを書きましょう。

＊プロンプト例

私がしたいこと

10秒のショート動画を作りたい。

ChatGPTにしてほしいこと

「会社員のための2時間勉強術！　税理士合格への近道」について話す台本を作ってください。

そのための条件

視聴者は次のような方です。

・税理士の資格を取得したい
・会社員の傍ら毎日2時間、資格取得のための勉強をしている
・税金の知識はなく0から勉強を始める

ChatGPTの回答

こんにちは、会社員の皆さん！
税理士の資格を取得したい、でも時間がなくて不安ですよね？
でも大丈夫！

毎日たった2時間の勉強で、税理士合格への近道が見えてきます！

税金の知識がなくても、心配しないでください。この動画を通じて、0からわかりやすく学ぶことができます！

あなたも一歩ずつ進んで、税理士資格を手に入れましょう！

この動画で、あなたの勉強へのモチベーションを高めるお手伝いができれば嬉しいです。


10秒と指定しているので短い台本になっていますが、長文であっても作り方は一緒です。内容が多い台本に関しては、パーツに分けて小分けに質問するとうまくいくかと思います。

03-4

アイデアを作ってもらおう

考えるということは、あらゆる作業の中でいちばんの重労働なのですが、そこを省いてしまう人が多い。そこを楽しようとしても、何も手に入らないのですが。

マイケル・ブルームバーグ

考えるということは、非常に重労働です。例えばあなたが上司から「面白いイベントのアイデアを作って」と指示されたとします。しかしあまりに条件が少ないと、何をしたらいいかわからず困ってしまいますよね。

そんな時こそＣｈａｔＧＰＴを活用しましょう。実はＣｈａｔＧＰＴはアイデアを作ることが非常に得意なのです。

これも基本のプロンプトを使えば簡単にできます。

＊プロンプト

私がしたいこと
会社イベントのアイデアがほしい。

ChatGPTにしてほしいこと
具体例を5つ作ってほしい。

そのための条件
日曜日に社員の交流のために行う
予算は一人1000円まで

ChatGPTの回答

- ボードゲームやカードゲームを用意し、社員同士で楽しい対戦を行うイベントです。
- 複数のゲームテーブルを設け、社員が気軽に参加できるようにします。

……その他、4つのイベントアイデアを提示

さらに、新規で飲食店を出すケースも考えてみましょう。
前項で説明した通り、テーマ（コンセプト）を決めてから詳細の決定をしていきます。

＊プロンプト

私がしたいこと	飲食店を出したい。
ChatGPTにしてほしいこと	お店のテーマを作ってほしい。
そのための条件	人通りが少ない裏路地 古民家を改装したお店 和と洋の雰囲気が混じった素敵なお店

ChatGPTの回答

テーマ名：「Retreat Fusion Cafe & Dining」

テーマコンセプト：この飲食店は、人通りの少ない裏路地に佇む古民家を改装した、和と洋の融合したリラックスできる空間。都会の喧騒を離れて、心身を癒す特別な場所として、お客様に贅沢なひとときを提供します。

……以下、詳細が続く

このようにアイデアがほしい場合は、ほしいアイデアをそのまま伝えてみてください。自分一人では思いつかないことをたくさん提案してくれます。

ただしここで注意点があります。**ChatGPTから出てくる答えは鵜呑みにしないことが大事です。**例えばアイデアを出してもらう場合でも、そのままでは使えないケースもあります。あくまで叩き台、スタートラインだと思う方がよいでしょう。しかしこのスタートラインに早く立つことができるというのがChatGPTを活用する大きなメリットです。

あなたが面倒だと感じていることの多くは、最初のとっかかりが掴めずにいることが原因の場合があるはずです。また、アイデアが広がらずに困っているケースもあるかもしれません。そのどちらもＣｈａｔＧＰＴで解決することができるのです。

つまり、ＣｈａｔＧＰＴは素晴らしいマネージャーであり、コンサルタントでもあると言えるでしょう。

03-5

優秀なパートナーとして相談に乗ってもらおう

誰かに話を聞いてもらいたい。自分一人で考えていると限界を感じる。

そんな時あなたはどうしますか？

もし周りに理解ある友人がいれば、その人に時間を割いてもらっていたかもしれません。また仕事の場であれば、上司に話を聞いてもらうという手もあるでしょう。

このような場合も、ＣｈａｔＧＰＴに対応してもらうことができるのです。

さきほど「ＣｈａｔＧＰＴは素晴らしいマネージャーであり、コンサルタントでもある」とお伝えしたように、あなた専任のコンサルタントとしての活用が可能です。

ここでは今までとはちょっと違った、ユニークなアプローチを紹介します。それは「あなたは優秀な〇〇です」と指示する方法です。

例えば売り上げが上がらずに困っている場合なら、こんな順番でプロンプトを書いてみましょう。

＊プロンプト1

「あなたは優秀なマーケターです」

ChatGPTの回答

ありがとうございます！　私はＯｐｅｎＡＩのＣｈａｔＧＰＴであり、マーケティングに関する幅広い知識を持っています。マーケティングについての質問やアドバイスがあれば、喜んでお手伝いいたします。どのようなマーケティングに関するお悩みがありますか？

＊プロンプト2

「うちのパン屋の売り上げが少なくて困っている」

ChatGPTの回答

売り上げが少ないという課題に直面しているパン屋さんのために、いくつかのアイデアを提供します。これらのアプローチを組み合わせることで、売り上げ向上の可能性が高まるでしょう。

……以下、8つのアプローチが続く

＊プロンプト3

「パンの売り上げが上がるキャッチコピーを考えてほしい」

ChatGPTの回答

「手作りの美味しさ、心温まる食卓へ」

「こだわりの素材と技術が生み出す究極の一品」

「毎日が特別なひととき。贅沢なパンのひとくち」

「ふんわり、香り立つ、幸せの味」

「本物の味わいが、ここにあります」

……以下、5つの回答が続く

いかがでしょうか？　ＣｈａｔＧＰＴに役割を与えて回答をもらうという方法です。実際には基本のプロンプトに沿って聞いても問題ありませんが、条件などを考えるのが難しいと感じる場合にはコンサルタントやカウンセラーのような立場を取ってもらうのも一つの手でしょう。

さらにここでオカザキ式プロンプトと組み合わせて指示してみます。

＊プロンプト例

役割を与える
あなたは優秀なマーケターです。

私がしたいこと
うちのパン屋の売り上げが下がって困っている。

ＣｈａｔＧＰＴにしてほしいこと
売り上げが上がるキャッチコピーを3つ考えてほしい。

そのための条件
以下、お店の情報
駅から徒歩10分
惣菜パンを中心としたラインナップ
価格帯は１５０〜２５０円
顧客層は主婦を中心としている

近くに大型スーパーマーケットができたことで売り上げが減少

ChatGPTの回答

「毎日の笑顔に、当店のパン」

このキャッチコピーは、主婦を中心にした顧客層に向けて、パンが日常に笑顔と幸せを提供する存在であることをアピールします。駅からのアクセスも考慮して、忙しい毎日にちょっとした癒やしを提供するイメージを込めています。

「新しい毎日、新しいおいしさ。当店のパンで」

大型スーパーマーケットに対抗するために、お店のパンがいつもとは違う特別なおいしさを提供していることを強調します。新商品の紹介や季節ごとの限定メニューを積極的に宣伝し、顧客の興味を引くようなキャンペーンを展開します。

「手作りの温かさ、当店のパンで」

大型スーパーマーケットとの差別化を図り、お店のパンが手作りの温かさやこだわりを感じさせることをアピールします。価格帯も手ごろなので、手軽に手作りの味わいを楽しむことができるというメッセージを強調します。

このようにChatGPTに役割を与えながらオカザキ式プロンプトを併用すると、簡単に求めている回答を得ることが可能です。

03-6

説得力のある資料を作るには

あなたが説得力のある資料を作りたいと考えているなら、ピラミッドストラクチャーというフレームを覚えると良いでしょう。

これはロジカルシンキングの基本的な形です。

頂点に結論、その下に根拠、一番下には具体例を置いています。このピラミッドがきれいに仕上がっていれば、説得力が高い、わかりやすい資料を作ることができます。実際のピラミッドも下がしっかりしているほど安定するように、ピラミッドストラクチャーを意識して情報を整理する時には、下支えする根拠と具体例をしっかりさせる必要があるのです。

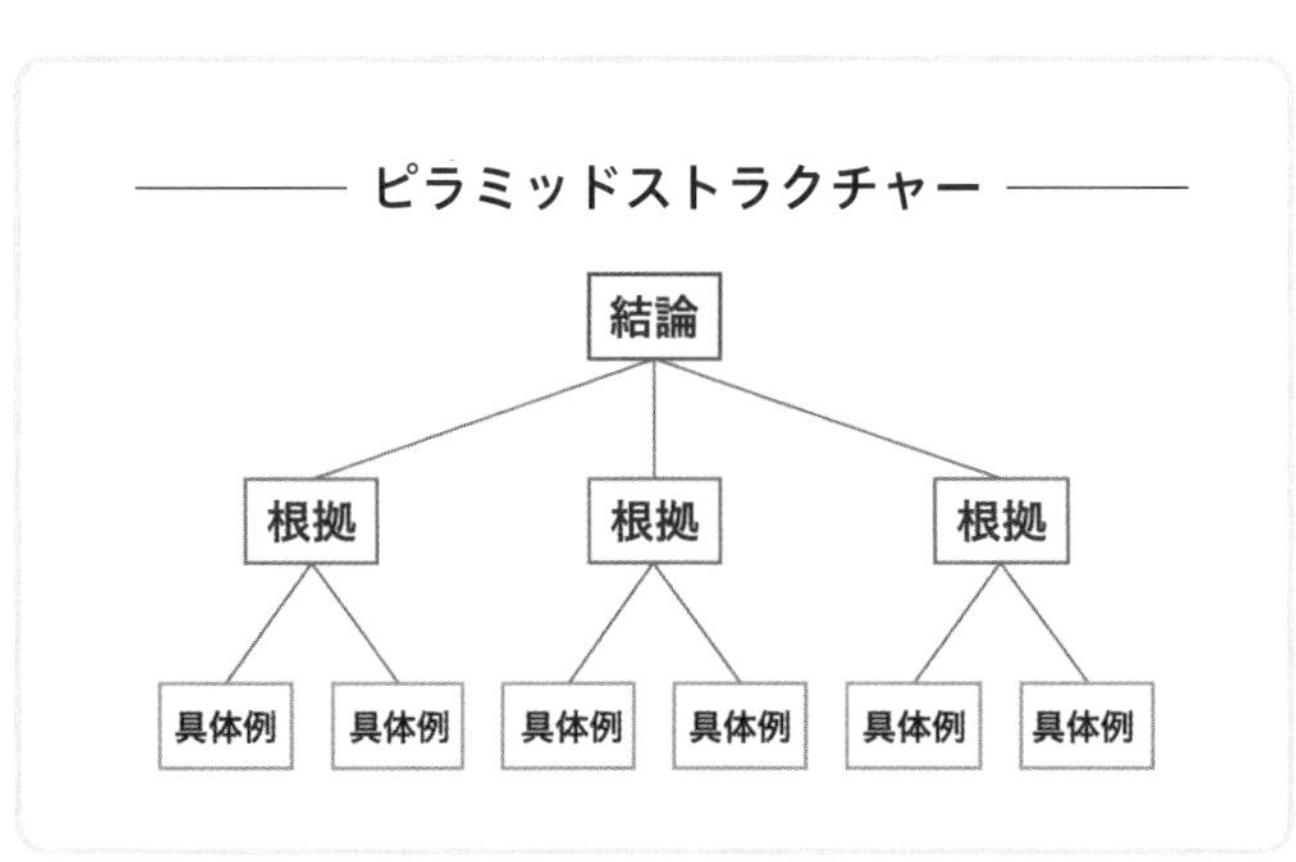

企画書や文章に説得力を持たせるために、ChatGPTを用いてこのピラミッドを完成させていきましょう。

例えば「お味噌汁は体に良いという紹介記事を書きたい」とします。

まず最初にオカザキ式プロンプトを使います。

＊プロンプト

私がしたいこと
お味噌汁は体に良いという紹介記事を書きたい。（結論）

ChatGPTにしてほしいこと
お味噌汁が体に良いという根拠を3つ出してほしい。（根拠）

そのための条件
科学的に証明されているもの

ChatGPTの回答

お味噌汁が体に良いということの根拠として、科学的に証明されている以下の3

つのポイントを紹介します：
栄養豊富な成分：お味噌汁には、大豆や米麹から作られる味噌が含まれています。味噌にはたんぱく質、食物繊維、ビタミンB群、ミネラル（鉄、カルシウム、マグネシウム）などが豊富に含まれています。
……（以下、計3つのポイントが続く）

次は根拠の具体例を出してもらいます。

＊プロンプト

次の文章の具体例を挙げてください。

特に、たんぱく質は体の細胞や組織を作る基本的な栄養素であり、ビタミンやミネラルは体の代謝や免疫機能に重要な役割を果たします。

ChatGPTの回答

具体的な例を挙げます：

たんぱく質の例：たんぱく質は体の構造を形成する重要な栄養素です。例えば、筋肉はたんぱく質の主要な成分であり、筋肉の収縮や運動に不可欠です。また、皮膚や髪の毛、爪などもたんぱく質から構成されています。例えば、鶏肉や豆腐、魚介類、卵などはたんぱく質が豊富な食品であり、これらを摂取することで体の細胞や組織を修復・再生するのに役立ちます。

ビタミンの例：ビタミンは体内の代謝プロセスや免疫機能に不可欠な役割を果たします。例えば……。

ミネラルの例：ミネラルも体内のさまざまな反応や代謝に必要な栄養素です。例えば……。

これらの具体的な例は、たんぱく質、ビタミン、ミネラルが体内の重要な機能に対してどれだけ重要かを示しています。バランスの取れた食事でこれらの栄養素を摂取することは、健康な体を維持するために欠かせないことです。

いかがでしょうか？

この2つを組み合わせることで、このようにピラミッドストラクチャーの各項目を埋めることができます。結論を決めてから、根拠、具体例の順に指示をして、説得力のある企画書や文章を作成しましょう。

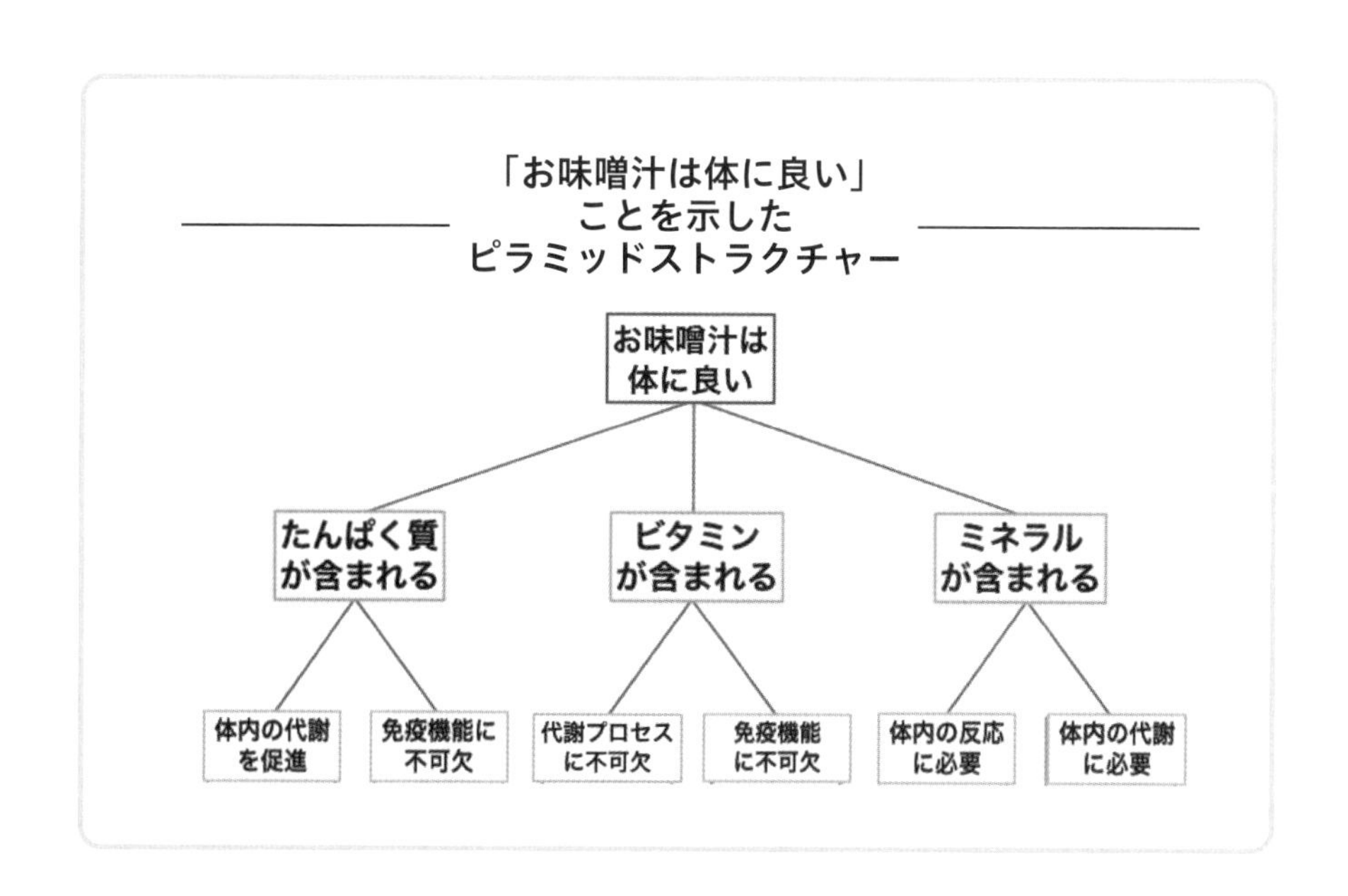

03-7

「足し算」「掛け算」で具体度を上げる

ＣｈａｔＧＰＴを効果的に使うためのヒントは、部分的に指示をしていくことです。一度に全ての回答をもらおうとすると情報量が多すぎる上、どうしてもわかりにくい文章になるため、ＣｈａｔＧＰＴにも理解しづらい質問になってしまいます。
つまり情報を構造化し、分解して考える必要があるのです。

例えば、　10＝□＋△　とした時に
□＝8　△＝5　とはしませんね。
□が8　なら、　△は2　です。等式が成り立つ状態にするはずです。

また　30＝□×△　としたときに、
□＝7　△＝2　ともしません。
□＝5　△＝6　または　□＝15　△＝2　などとするはずです。

これと同じように、情報を分解し、部品ごとに考える必要があるのです。

そこで次のような例を考えてみましょう。

結論：パン屋の売り上げを上げたい

というところから、売り上げを要素に分解して考えます。

売り上げ＝商品単価×販売個数
販売個数＝来店人数×購入率×平均購入個数
平均購入個数＝（商品Ａの購入個数＋商品Ｂの購入個数＋……）

このように分解して考えることで、ＣｈａｔＧＰＴに聞く質問の具体度を上げることが可能です。

例えばここで、美味しいのに人気の低いクリームパンの販売個数を増やす方法を考えたいとします。

＊プロンプト

私がしたいこと
クリームパンの販売個数を増やしたい。

ChatGPTにしてほしいこと
クリームパンがより売れるための商品改善案が3つほしい。

そのための条件
クリームパンは次のような特徴。
・国産の牛乳と小麦を使っている
・程よい甘さで満足できる
・柔らかく子供でも食べやすい

ChatGPTの回答

1．ヘルシーなオプションの導入：
ヘルシー志向の顧客に向けて、低糖質や低脂肪、無添加など、より健康的なクリームパンのオプションを導入してみてください。これにより……。

2．キッズ向けの特別なデザインやキャラクター絡みの販促：
子供向けの特別なデザインやキャラクターを使ったクリームパンを販売することで、子供たちの興味を引きつけることができます。限定版の……。

3．地域の特産品とのコラボレーション：
地域の特産品や名産品とコラボしたクリームパンを提供することで、地域性を強調し地元の顧客層を呼び込むことができます。例えば……。

同じように、

・商品単価を上げる
・来店人数を増やす
・購入率を上げる
・購入個数を上げる

方法について、ChatGPTに尋ねてみて、自分の店に有効そうなものを試してみてください。そうすれば、売り上げは間違いなく上がるはずです。

03-8

プレゼン資料の構成や内容を考える

次にプレゼン資料を作る場合を考えてみましょう。
そのためにはまずプレゼン資料の構成を考える必要があります。
まずは一般的な構成案から尋ねてみましょう。

＊プロンプト

私がしたいこと
上司に商品説明をするための資料を作りたい。

ChatGPTにしてほしいこと
構成案を作ってください。

そのための条件
商品の概要は次のとおり。
1・ペットボトルのお茶
2・カロリーを気にするOL向け
3・特徴はすっきりとした飲み心地と芳醇なお茶の香り

4・脂肪燃焼効果がある特定保健用食品

ChatGPTの回答

商品説明資料構成案
1．タイトル　〝新発売！　健康を意識したＯＬ向け特定保健用食品〟
2．導入　商品の位置付け
　市場の需要背景
　ペットボトルのお茶の新たな提案
3．商品概要
（……以下資料の構成が続く）

この回答に対して、「商品の位置付けを作成してください」などと質問すれば一つ一つの詳細を作ってくれます。これらをもとに商品説明の資料を作成し、あなた自身が加筆修正することで、わかりやすく説得力のある資料を仕上げることができるでしょう。

03-9

思ったような答えが得られない時の対処法

具体度も上げてみた。分解して聞いてみた。オカザキ式プロンプトに沿って質問したけれど思ったような答えが得られません。

そんな相談をいただくことがたびたびあります。あなたも実際に使ってみると同じような悩みを持つかもしれません。

次の2つの方法を試してみてください。

①他のことに置き換えて聞いてみる

あなたがメルマガの文章を書きたいとします。しかしメルマガと指示すると、堅い文章になってしまい、望んでいるものと違った。そんな場合には、ブログと置き換えて指示してみましょう。

＊プロンプト

私がしたいこと
ブログの記事を書きたい。

ChatGPTにしてほしいこと
ブログの記事を作ってほしい。

そのための条件
ゴールはダイエットプログラムを販売したい。
記事の内容は、毎日の運動を継続するコツについて。

ChatGPTの回答

タイトル：毎日の運動を継続するための5つの効果的なコツ

はじめに
ダイエットの成功には、毎日の運動が欠かせません。しかし、運動習慣を続けることは簡単なことではありません。この記事では……

1．目標を明確にする

運動を継続するためには、明確な目標設定が必要です。具体的な目標を立てることで、モチベーションが高まり、努力を続ける意欲が生まれます。目標は……

2．楽しい運動を選ぶ

運動は苦痛なものではなく、楽しく取り組むことが大切です。自分が楽しいと感じる運動を見つけることで、毎日の継続がより容易になります。ジョギング……

3．予定を立てる

忙しい日々の中で運動を継続するには、日々の予定を立てることが重要です。スケジュールに運動の時間を組み込むことで、他の予定との……

4．小さな報酬を設定する

運動を継続するためには、自分への小さなご褒美を用意すると良いでしょう。達成した目標に対して自分を褒めることで、モチベーションを……

5．睡眠と栄養のバランスを大切にする

運動を継続するためには、適切な睡眠と栄養が欠かせません。十分な睡眠を取り、バランスの取れた食事を心がけることで……

まとめ

毎日の運動を継続するコツには、目標の明確化、楽しい運動の選択、予定の立て方、小さな報酬の設定、睡眠と栄養のバランスが含まれます。……

もし、この文章が少しフランクだと感じたら「ブログ記事」ではなく「ニュース記事」としてみましょう。ニュース調になるので堅めの文章で作成してくれます。

②対象読者を変えてみる

先ほどのダイエット記事のプロンプトの条件に、次の文章を追加します。

＊追加プロンプト

中学生にもわかる文章にして。

すると次のようになります。

ChatGPTの回答

タイトル：ダイエットに挑戦！　中学生でもできる毎日の運動を続けるコツ

こんにちは、健康ニュースチームです！　ダイエットに挑戦したい中学生の皆さん、毎日の運動を継続する方法をお伝えします。健康的な体を手に入れるために、ぜひ参考にしてみてください！

1．楽しさを見つけよう

運動は楽しむことが大切です！　自分に合った運動を見つけることで、毎日続けることがラクになります。サッカーやテニス、バスケットボール、ジャンプロープなど、楽しく体を動かせる運動を探してみましょう。友達と一緒に運動をするのも楽しいですよ！　……

どうでしょうか？

内容は一緒でも、その印象はまったく違うものになりましたね。求めている回答に合わせて対象読者を設定することで、説得力の高い文章を作成することができます。

03-10

ＣｈａｔＧＰＴは「こそあど言葉」が苦手

とある記事で「イラッとさせる文章」についての解説を読みました。

そこで紹介されていたことの一つが「こそあど」言葉。つまり「これ」「それ」「あれ」「どの」など、代名詞を多用した文章は読みにくく、人をイラッとさせてしまう、とのことでした。

なぜイラッとさせられるかというと、「その代名詞が何を指しているのかがわかりにくくなる」ことが原因でしょう。代名詞は便利ではありますが、文章をわかりにくくしてしまう可能性を高めてしまいます。

ＣｈａｔＧＰＴはチャット（対話）で答えを探せることがメリットではありますが、我々の日常会話とは違った気遣いが必要です。その中の一つが代名詞の利用です。

例えば「それについて詳しく教えて」と指示した場合に、「それ」とは基本的に直前のChatGPTとのやり取りで出てきた文章を指します。もしいくつか前のものを指定したい場合には、代名詞は機能しないのです。

そんな時に便利な使い方が、「名前をつける」というものです。

商品の開発や分析であれば、商品の名前を指定しましょう。ペルソナ（具体的な人物像）設定をするのであれば、ペルソナに名前をつけるのがいいでしょう。

具体的には次のようなケースです。

＊プロンプト

私がしたいこと
20代向けのダイエット商品を作りたい。

ChatGPTにしてほしいこと
この商品を使う人のペルソナを作成してください。

そのための条件

結婚したい女性
なかなか痩せられないことに悩んでいる女性
運動が苦手な女性

このケースで何人かに実験してもらったところ、どんな人かという概要になるケースと具体的な人物名まで指定されるケースがありました。

具体的な人物名で指定されている場合には問題ありませんが、もしされていない場合には次のように指定してください。

＊追加プロンプト

「結婚したい女性」の名前は「春代恋」さんです。

するとＣｈａｔＧＰＴはこのペルソナを名前で覚えてくれます。

これ以降は春代恋さんと指定すれば、結婚願望がありダイエットしたい女性をターゲットにした回答をしてくれます。

実際には次のような使い方をします。

＊プロンプト

私がしたいこと　20代向けのダイエット商品を作りたい。
ChatGPTにしてほしいこと　商品名を3個考えてください。
そのための条件　春代恋さんが手に取りたくなる商品名にしてください。

このようにあらかじめペルソナの人物設定をしておけば、質問するたび条件を指定することなく、意図した情報をChatGPTから引き出すことが可能となります。

また、「この商品名は春の水です」と指定すれば、固有の商品名として覚えてくれます。

ChatGPTを使いこなすためには、代名詞を減らすことが重要です。そのためにも、使用頻度の高いものには固有の名前をつけるようにしてみてください。

chapter
04

ChatGPTを生活や仕事で使いこなそう

04-1

明確な答えを導くために5W2Hに沿って質問しよう

「どこか旅行に行きたいんだけど、どうしたらいいと思う?」

もしあなたがこんな質問をされたらなんと答えるでしょうか? 予算も時期もわかりません。いったい何泊できるのか? どんな体験をしたいのか? その条件次第で旅行先も変わってくることでしょう。そもそも「どうしたらいい」というのが何を指しているかもよくわかりません。

この例からもわかるように、ChatGPTを活用する上で大切なことが条件決めです。条件を明確にするために活用したいのが、ロジカルシンキングでも頻繁に使われる5W2Hです。

【5W2H】

What（何）：何をしたいのか、何が起こったか、何が対象となっているか、何が問題となっているかなど。

Why（なぜ）：なぜそれが起こったか、なぜ問題となったか、原因や背後にある理由。

Where（どこ）：どこで起こったか、どこが関連しているか、など場所に関する情報。

When（いつ）：いつ起こったか、いつ問題が発生したか、時間的な情報。

Who（誰）：誰が関与しているか、誰が影響を受けているか。

How（どのように）：どのようにして起こったか、どのように問題が発生したか、プロセスや手段。

How Much（いくら、どれだけ）：いくらかかったか、どれだけ影響を及ぼしたか、数量や規模。

最初の旅行の例で考えてみましょう。

What（何）：旅行をしたい

だけが明確ですが他については不明です。

オカザキ式プロンプトに合わせて考えると、このような状態です。

私がしたいこと	旅行をしたい
ChatGPTにしてほしいこと	不明
そのための条件	不明

そこで、「ChatGPTにしてほしいこと」を「旅行先の候補を出してほしい」と設定し、5W2Hに沿って詳細な設定をしてみましょう。

＊プロンプト

私がしたいこと
1泊2日の旅行をしたい。

ChatGPTにしてほしいこと
旅行先の候補を出してほしい。

そのための条件
旅行の目的は子供に自然を体験させるため（Why）
家族5人（Who）
住まいは東京都（Where）
予算は1人2万円（How Much）

ChatGPTの回答

条件に基づいて、子供に自然を体験させるための旅行先の候補をいくつか挙げてみましょう。予算や所要時間に合わせて検討できる場所を提案します。

箱根：東京からアクセスが良く、自然豊かな箱根は、美しい景色や温泉、アウトドア活動が楽しめるエリアです。森林散策や湖畔でのアクティビティが子供たちに自然の楽しさを提供できます。

奥多摩：自然に囲まれた奥多摩は、東京からのアクセスも良く……

日光：自然や歴史的な名所が豊富な日光もおすすめです。滝や温泉……

軽井沢：東京から新幹線でアクセスが可能な軽井沢は……

伊豆半島：海と山が共存する伊豆半島も、自然体験に最適なエリアです……

房総半島：東京湾に面した房総半島は、美しい海岸線や田園風景が……

これらの候補地は、子供たちに自然を体験させることができるだけでなく、東京からのアクセスも比較的良く、1泊2日の予算内で楽しむことができるかと思います。予算や好みに応じて、最適な旅行先を選んでみてください。

このように東京からアクセスしやすく、自然豊かな候補地を提案してくれました。しかしながら、chapter 01でもお伝えしているようにChatGPTは時事ネタに弱く、最新の人気スポットや現地の情報は把握していないため、Google検索などと組み合わせて検討すると良いでしょう。

次は実際の仕事での活かし方を考えていきましょう。

04-2

文章に必要な条件を出してもらおう

あなたは「転職に成功した人」としてスピーチをする機会を得て、そのための原稿を作ることになりました。しかしスピーチなど普段しないので何を話したらいいのかわからない。かといって、自分とは関係のないエピソードを話すわけにもいかない。まずは何から手をつけたらいいのか…。

そんな時には、条件出しからChatGPTにやってもらいましょう。

＊プロンプト

私がしたいこと
感動させるスピーチの原稿を作りたい。

ChatGPTにしてほしいこと
どんな項目が必要か条件を出してほしい。

ChatGPTの回答

感動させるスピーチの原稿を作成するためには、以下の条件や項目を考慮することが重要です。これらの要素を組み合わせて、感動的なスピーチを構築してみましょう。

テーマの選定：スピーチの中心となるテーマを選びます。感動を呼ぶテーマやエピソードを選ぶことが大切です。例えば、困難を乗り越えた体験、人々への感謝、希望や夢へのメッセージなどが考えられます。

ストーリーテリング：人々を感動させるには、ストーリーテリングが……

感情の表現：感動を生み出すには、感情の表現が不可欠です……

エビデンスと例証：信憑性を高めるために、エビデンスや例証を……

共感を呼ぶ要素：聴衆が自身の経験や感情に照らし合わせて共感できる要素を取り入れると、感動がより深まります。一般的な人間の喜びや苦しみ、願望などにフォーカスすると良いでしょう。

メッセージの明確化：スピーチの中で伝えたいメッセージや教訓を明確に示します。リスナーが持ち帰るべきポイントを強調することで、スピーチの意義がより深まります。
リズムとペーシング：スピーチのリズムやペーシングを工夫することで……
視覚的効果：視覚的な効果（写真、図表、小道具など）を活用……
締めくくり：スピーチの最後に感動的な締めくくりを行いましょう……
　これらの条件や項目をもとに、感動させるスピーチの原稿を組み立てていくことができます。自身の経験や感情を活かしながら、聴衆の心に響くメッセージを伝えるよう心がけましょう。

　多くの条件が提案されましたが、全てを指定する必要はありません。
　今回は「転職に成功した人」としてのスピーチを求められているため、上記の中で「テーマの選定」「共感を呼ぶ要素」「メッセージの明確化」の項目を選んだ上で、条件を定めることにします。

テーマの選定：転職することは怖くない
共感を呼ぶ要素：リストラされるかもしれない恐怖を一緒に乗り越えよう
メッセージの明確化：仕事はいくらでもある！　新しい挑戦に踏み出そう

ここでいきなりスピーチ原稿にしても問題はありませんが、より丁寧に指示を出すなら構成案を出してもらうのが良いでしょう。するとChatGPTへのプロンプトは次のようになります。

＊プロンプト

私がしたいこと　感動させるスピーチの原稿を作りたい。
ChatGPTにしてほしいこと　スピーチ構成案を作ってほしい。
テーマの選定：転職することは怖くない
共感を呼ぶ要素：リストラされるかもしれない恐怖を一緒に乗り越えよう
メッセージの明確化：仕事はいくらでもある！　新しい挑戦に踏み出そう

ChatGPTの回答

1．イントロダクション

開場の挨拶

聴衆の注意を引く引用やエピソードの紹介

転職に関するテーマの紹介

共感を呼ぶ恐怖の描写

2．リストラされるかもしれない恐怖についての共感を呼ぶエピソードの紹介

この恐怖が私たちにどのように影響を及ぼすかの考察

聴衆が感情移入できるような詳細や具体例の提供

メッセージの明確化と肯定的な視点の提示

3．仕事はいくらでもあることの強調

リストラの恐怖を乗り越えることができる方法の提案

成功した転職者のエピソードや成功事例の紹介　新しい挑戦への呼びかけ

4．新しい挑戦を受け入れる意義と可能性についての説明

聴衆に新しいステップを踏み出すことの重要性を訴える

聴衆に自信を持って新しい未来に向かって行動するよう促す

感動的な締めくくり

5．転職の勇気を称賛する

聴衆に勇気を与える締めくくりの言葉　励ましや感謝のメッセージ

この構成案で問題なければ、次のように指示を続けましょう。もし適切でないと思う項目があれば、消去したり置き換えることも可能です。

＊追加プロンプト

下記のスピーチ原稿を作成してください。

1．イントロダクション

開場の挨拶

聴衆の注意を引く引用やエピソードの紹介

転職に関するテーマの紹介

共感を呼ぶ恐怖の描写

つい全体をいきなり聞きたくなりますが、構成された部分ごとに小分けで指示することで、より丁寧な回答を得ることができます。

また、文体や言い回しが適切でない場合は、「もう少し丁寧な文体で」「大学生向けの言い回しで」などと条件を加えると、それに合った文章を作成してくれます。

このように、条件がわからない時に文章を作成する際には、

①条件を尋ねる
②構成案を尋ねる
③構成ごとの文章を尋ねる
④自分の考えている文体に近づける

の順番でChatGPTに指示をするようにしてみましょう。

04-3

条件はなく、とにかくブレストしたい！

条件なんて難しいこと考えたくない！ とにかくアイデアを出してくれ！

そんな時もありますね(笑)。

大丈夫、条件がなくてもアイデア出しに使う方法があります。それが水平質問と垂直質問を使う方法です。

水平質問とは「他にありますか？」と別のアイデアを尋ねること。
垂直質問とは「具体的に言うと？」「一般的に言うと？」など、より深いアイデアやわかりやすいアイデアについて尋ねることです。

例えばメルマガのテーマ探しを例にして実際に行ってみます。
あえてオカザキ式プロンプトは使わず、ざっくりと指示してみましょう。

＊プロンプト

メルマガのテーマを3つ出して。

ChatGPTの回答

もちろんです。以下は異なるテーマの3つのメルマガの提案です。

健康とウェルネスメルマガ：このメルマガでは、健康的な生活スタイルの促進とウェルネスに関する情報を提供します。食事、運動、ストレス管理、心の健康など、総合的な健康に役立つ記事やヒントを配信します。

クリエイティブな趣味メルマガ：趣味に関する情報とアイデアを共有します……

キャリアアップ情報メルマガ：キャリア形成とスキル向上に関する情報を……

これらのテーマの中から選んでいただくか、カスタマイズしていただいても構いません。どのテーマも読者に価値を提供し、興味を引く内容を提供するのに適しています。

もしこの中に自分がテーマにしたいものがあるなら垂直質問してみます。

＊追加プロンプト

次のテーマの具体例を3つ出して。

健康とウェルネスメルマガ：このメルマガでは、健康的な生活スタイルの促進とウェルネスに関する情報を提供します。食事、運動、ストレス管理、心の健康など、総合的な健康に役立つ記事やヒントを配信します。

ChatGPTの回答

もちろんです。以下は「健康とウェルネスメルマガ」の具体例です。

バランスの取れた食事のアイデア：

毎週、異なる栄養素に焦点を当て、バランスの取れた食事の……

効果的なストレス管理テクニック：
ストレスは健康に影響を及ぼす可能性がありますが、効果的なストレス……

運動プログラムのカスタマイズ：
異なるフィットネスレベルや目標に応じた運動プログラムを紹介……

これらの具体例は、健康とウェルネスに焦点を当てたメルマガのコンテンツの一部です。読者が健康的な生活スタイルを築くためのヒントやアイデアを提供することで、健康への意識を高めるお手伝いができます。

もしこの中にテーマにしたいものがなかった場合は、水平質問を使ってみましょう。

＊追加プロンプト
この他に5つ具体例を出して。

ChatGPTの回答

もちろんです。以下はさらなる「健康とウェルネスメルマガ」の具体例です。

睡眠の質を向上させる方法：
良質な睡眠は健康に欠かせない要素です。睡眠環境の整え方やリラックステクニック、睡眠サイクルの理解など良い睡眠を得るためのアドバイスを提供します。

自宅でできるホームワークアウト：
忙しい日常でも、自宅で効果的なワークアウトを行う方法を紹介……

メンタルヘルスとの向き合い方：
メンタルヘルスの重要性を強調し、ストレス、不安、うつ症状など……

健康的なスムージーレシピ集：
フルーツ、野菜、スーパーフードを組み合わせた健康的な……

ウォーキングやジョギングの効果的なテクニック：

ウォーキングやジョギングの健康への効果と、正しいフォーム……

これらの具体例は、健康とウェルネスに関連するさまざまな側面に焦点を当てています。読者が身体的な健康だけでなく、メンタル・エモーショナルな健康も向上させるためのヒントとアイデアが含まれています。

このようにアイデアがない状態から始める時には、垂直質問と水平質問をすることで自分に適したものを探すことが可能です。条件が決まらない場合や、まずはブレスト的にざっくりとしたアイデアがほしい、そんな時に試してみてください。

また、文章の中にメモ書きを残したい場合には、「#」をつけて文章を残しましょう。するとChatGPTはそれを無視したアウトプットをしてくれます。ブレスト中やプロンプトを整理したい時に使いましょう。

04-4

オカザキ式プロンプトに合わない時には

ここまで条件についてお話ししてきましたが、私がしたいことと、ＣｈａｔＧＰＴにしてほしいことが同じになってしまうケースもあるでしょう。

例えば次のようなケースです。

私がしたいこと	メールの返信がしたい。
ＣｈａｔＧＰＴにしてほしいこと	メールの返信文を書いてほしい。

こういったケースでは、どちらか片方にまとめてしまって問題ありません。なぜこんなことが起こるのか？　答えはやってほしいことと自分がしたいことの抽象度が一致しているからです。

もちろんより精度を高めたいと考える場合には2つに違う内容が含まれた方がよいです。しかしそれを考えるあまり無駄に時間を使ってしまうのであれば、気にせず1つにまとめてしまいましょう。

ただ思ったような回答が得られない場合もありますから、その時は条件付けの視点を自分ではなく、相手目線にしてみてください。つまり相手にとっての条件や希望は何かということを考えてプロンプトを作ってみてください。

次のようなケースを考えてみましょう。

あなたはコンビニエンスストアのオーナーをしています。お客様に提供すべき商品に悩んでいます。その時にどんなものを提供したらいいか。お客様の条件から考えてみましょう。

＊プロンプト

私がしたいこと　コンビニエンスストアに置く商品を決めたい。

ChatGPTにしてほしいこと　お客様に提供する商品を検討してください。

そのための条件

私はコンビニエンスストアのオーナーです。
朝の通勤・通学途中の人々
仕事の合間に買い物するビジネスパーソン
外食より手軽な食事を求める人々
飲料やスナックを買いに来る学生たち
急に必要になった食材や日用品の購入をする主婦・主夫
遅い時間に食材や必需品を買いにくる夜勤労働者

ChatGPTの回答

朝の通勤・通学途中の人々向け：
サンドイッチやパン、ヨーグルトなどの軽食……
仕事の合間に買い物するビジネスパーソン向け：
サラダやおにぎり、お弁当などの健康的な軽食……
外食より手軽な食事を求める人々向け：

ホットスナック、冷凍食品、カップ麺などの簡単な食事……

飲料やスナックを買いに来る学生たち向け‥

スポーツドリンクやフレーバードウォーター……

急に必要になった食材や日用品の購入をする主婦・主夫向け‥

牛乳や卵、野菜などの生鮮食品……

遅い時間に食材や必需品を買いにくる夜勤労働者向け‥

24時間営業の場合、深夜向けのお弁当や軽食……

さらに個々の回答について垂直質問や水平質問を行うことで、もっと答えを具体的にすることができます。

条件が決まらない時は想定顧客から考えてみてください。

04-5

途中まで書いてやってもらう

ChatGPTを活用せず、自分自身で文章を書いていたが、途中で行き詰まってしまった。そんなこともあるかもしれません。その場合の対処法をご紹介します。

それは途中までの文章を条件に使い、続きを書いてもらうという方法です。

私がメルマガで伝えようとしたものを例に、文章の続きをChatGPTに書いてもらいましょう。オカザキ式でプロンプトを作ると次のようになります。「本文：」以降が、私が書いた文章です。

＊プロンプト

私がしたいこと
メルマガを送りたい。

ChatGPTにしてほしいこと
下記の文章の続きを作って。

そのための条件

タイトル：
なぜ「行き当たりばっちり」でうまくいくのか
本文：
今日からフォーマットを変えてメルマガ配信スタート。
いつも行き当たりばったりですみませんw

それでもちゃんとやっていけてることに感謝です。

「行き当たりばっちり」なんていいますが、案外それでもやっていけます
ね。

ちなみに意外とこれ、うまくいきます。
なぜだかわかりますか？

ChatGPTの回答

今日からフォーマットを変えてメルマガ配信スタート。
いつも行き当たりばったりですみません w

それでも、ちゃんとやっていけてることに感謝です。

「行き当たりばったり」という言葉は、私たちが直面する未知の状況や課題に対して、柔軟で創造的なアプローチを取ることの大切さを表しているように思います。予測不可能な事態に対しても、その場での判断やアイデアが功を奏することがあります。

例えば、計画通りに進まない場合でも、その都度柔軟に対応することで、新たなチャンスや展望が開けることがあります。これは、固定された枠にとらわれず、適応力を活かすことで、意外な成果を生むことができるからかもしれません。
また、行き当たりばったりのアプローチは、創造性を刺激し、新しいアイデアの発想源となることもあります。予定調和ではなく、その場その場の状況に応じて考えることで、従来の枠組みにとらわれない発想が生まれやすくなります。

さらに、行き当たりばったりのスタイルは、過度なプレッシャーやストレスを軽減する助けにもなるかもしれません。完璧主義に固執せず、柔軟に流れに乗ることで、心の余裕を保ちながら取り組むことができるでしょう。
結論として、「行き当たりばっちり」のアプローチは、変化の激しい現代社会において、新しい課題や状況に臨機応変に対応し、創造的な解決策を見つけるための有効な方法であると言えるでしょう。柔軟性や適応力を磨きながら、これからも前向きなチャレンジを続けていきましょう。

さらにここで読者設定の条件を加えてみます。
ChatGPTが理解しやすいように、ここでは「条件」と「ChatGPTにしてほしいこと」の順番を入れ替えています。

＊プロンプト

私がしたいこと
メルマガを送りたい。

そのための条件
読者対象は下記のような20代女性。

ChatGPTにしてほしいこと

ただし20代女性という表現は文章の中で使わない。
いつも計画的に動くばかりで意外性がない人
突然の変更にイライラして周りと衝突してしまう人
下記の文章の続きを作って。
タイトル：なぜ「行き当たりばっちり」でうまくいくのか
本文：
今日からフォーマットを変えてメルマガ配信スタート。
いつも行き当たりばったりですみませんｗ

それでもちゃんとやっていけてることに感謝です。

「行き当たりばっちり」なんていいますが、案外それでもやっていけますね。

ちなみに意外とこれ、うまくいきます。
なぜだかわかりますか？

ChatGPTの回答

タイトル：なぜ「行き当たりばっちり」でうまくいくのか

本文：

今日からフォーマットを変えてメルマガ配信スタート。

いつも行き当たりばったりですみませんw

それでもちゃんとやっていけてることに感謝です。

「行き当たりばっちり」なんていいますが、案外それでもやっていけますね。

ちなみに意外とこれ、うまくいきます。

なぜだかわかりますか？

それは、「行き当たりばっちり」がじつは柔軟性を生むからです。普段計画的に動くことに慣れているあなたにとって、突然の変更や予測不能な状況はストレスの原因になりがちですよね。

でも、行き当たりばったりのアプローチは、そのようなストレスと上手に向き合う方法なのです。計画通りにいかないことがあっても、柔軟に対応することで、イライラや衝突を減少させることができるんです。

例えば、急な予定の変更やトラブルがあった時、それをチャンスと受け取り、新しい経験やアイデアを取り入れてみることで、驚くほどうまくいくことがあります。計画通りでなくても、それが新しい扉を開くキッカケになるのです。

行き当たりばったりな状況においても、柔軟性を発揮することで、意外性が生まれ、ユニークなアプローチが見つかることもあります。今までにない新しい視点やアイデアが、あなたの日常をより豊かにする手助けとなるでしょう。

だからこそ、「行き当たりばっちり」のアプローチは、計画的に動くことと同じくらい重要なのです。未知の可能性が開かれ、柔軟に対応することで、あなたの人生がより輝かしいものになることでしょう。

「女性向け」という条件を加えることで、だいぶ文章が柔らかくなりましたね。

さらに「いつも計画的に動くばかりで意外性がない人」「突然の変更にイライラして周りと衝突してしまう人」に向けられた文章へと書き換えられているのがわかるはずです。

このように文章を作成したのち細かい部分に修正を加えることで、あなたのメルマガは完成します。同じようにメールの返信文や企画書なども作成することが可能です。

条件付けに難しさを感じた時や、途中まで文章を作成している場合にお試しください。

chapter

05

副業で月10万稼げる商品を作ってみよう

05-1

何を売るかから考えよう

ここまでChatGPTの使い方をお伝えしてきました。では実際にChatGPTを使って商品を作ってみましょう。

商品やサービスを提供するビジネスにおいては、次の2つのマーケティング手法が基本とされています。

①誰に、何を、どう売るか（マーケットイン）
②何を、誰に、どう売るか（プロダクトアウト）

2つの違いは見てすぐわかるでしょう。「誰に」と「何を」の順番が違います。

逆に共通点は「どう売るか」が最後であることです。「誰に＝顧客」と「何を＝商品」が決まらないと売り方は決められないからです。

さて、0から起業するなら「マーケットイン」と「プロダクトアウト」のどちらを選択するべきなのでしょうか。それぞれの特徴をまとめると次のようになるでしょう。

①マーケットイン：需要やトレンドを分析し、それに基づいて製品やサービスを開発します。つまり、市場が求めるものに焦点を当てます。

②プロダクトアウト：技術や製品の特長からスタートし、新しい市場を見つけていく手法。革新的な製品やサービスを生み出すことが目標です。

どちらにもメリット・デメリットがありますが、基本的に初めての起業ならプロダクトアウトをお勧めします。自分が何を提供できるかがわからなければ、商品を作りようがないからです。

私の友人の例ですが、ある日こんな相談を受けました。

「携帯電話のバッテリーが持たないため、みんな困っていますよね？　私は小さくて大容量のバッテリーの開発をしたいんです！」

賢明な読者の方なら「そんな技術を彼は持ち合わせているのか？」とお思いのことでしょう。そして「バッテリー開発は競争も熾烈だろうし、多大な資金力も必要だろうな」と。残念ながら彼はそんな技術も資金力も持ち合わせていませんでしたので、丁寧に説明して諦めてもらうことにしました。

このように、あなたが商品を作って売ろうと思うなら、自分が詳しい分野において、作ることのできるものから始める必要があるのです。

ただしこの「プロダクトアウト」の手法であっても、市場は意識する必要があります。自分の売れるものを決めたあとには、実際に必要としている人はどんな人か、どうしたら買ってもらえるかを考える必要があります。もし市場のニーズがないような商品だとしたら、マーケットに合わせて商品をカスタマイズする必要があるのです。

初めて商品やサービスを開発する場合、スタート地点はプロダクト、すなわち自分が提供できる商品から考えるようにしましょう。

下記はChatGPTがまとめた、「マーケットイン」と「プロダクトアウト」の特徴です。商品開発の際にはぜひ参考にしてみてください。

【マーケットインの特徴】

・メリット

顧客志向の優位性：マーケットインアプローチは、顧客のニーズを基に製品やサービスをデザインし、市場での成功確率を高めるメリットがあります。顧客ニーズを理解し、それに合致した価値提供が可能です。

リスクの削減：顧客のフィードバックや市場調査をもとにした開発プロセスは、不要な投資を削減し、製品開発のリスクを軽減する効果があります。

早期の市場受け入れ：実際の顧客の要望に応じた製品を提供することで、市場での受け入れが早期に実現され、収益化の速度を向上させる可能性が高まります。

持続的な顧客関係の構築：顧客の声を収集し、フィードバックを反映させることで、製品の改善や顧客満足度の向上、長期的な顧客関係の構築が促進されます。

・デメリット

イノベーションの制約：マーケットインアプローチは既存の顧客ニーズに基づくため、大胆なイノベーションや破壊的なアイデアの追求が難しくなる場合があります。

市場予測の不確実性：市場のダイナミクスや顧客の好みの変化を的確に予測することは困難であり、時に市場適合性の不確実性が存在します。

【プロダクトアウトの特徴】

・メリット

革新と競争力：プロダクトアウトアプローチは、新しい技術やアイデアに基づいた製品の開発を通じて、市場での競争力を高め、新たな価値を提供できる可能性があります。

市場をリード：先駆的な製品やサービスの提供により、市場のニーズやトレンドを先導し、新しい市場セグメントを開拓することができます。

・デメリット

市場適合性のリスク：顧客のニーズを無視して開発された製品は、市場での受け入れが難しく、市場適合性のリスクが高まります。

失敗の可能性：革新的なアプローチは未知の領域に進出するため、失敗する可能性が高まります。

身近で起きる困ったことを解決するスキルがあり、かつ、お金を稼ぐことができるものであれば、マーケットインで考えるといいでしょう。逆に特に解決できる困りごとがない場合には、プロダクトアウトで考えてみてください。

ただ私は副業でやるなら可能性が大きく、楽しく稼げるものがいいと思っています。またマーケットインで商品を作る場合、市場の情報をＣｈａｔＧＰＴに入れなければならないため、難易度が非常に高くなってしまいます。

そのためここではプロダクトアウト、すなわち何を売るかから考えてみましょう。

05-2

現状分析から自分ができることを見つけよう

自分がどんな商品を作ることができるかを考える場合、次の情報が必要になってくるでしょう。

◆現在の労働条件
◆現在の仕事内容
◆好きなこと：趣味的要素が強く、時間を使って苦にならないこと。
◆得意なこと：他の人と比べて、上手にできると感じていること。
◆その他できること：他者と比べて優劣はないが、技術を有していること。

そこで次のような人物像を設定してみます。実際にはあなた自身の情報を入れてくださいね。

人物像

現在の労働条件

男性、35歳
月の収入は手取りで25万円
週5日勤務で1日の労働時間は通常8時間（残業なし）
副業は推奨されている

現在の仕事内容

グッズ制作会社のマーケティングアシスタント
主にデータ収集や企画資料作成を行っている

好きなこと

サーフィン・料理・美味しいお店を探すこと・人と話すこと

得意なこと

学生時代にバーテンダーをしていた
データ分析・プレゼン資料作成

その他できること

Ｚｏｏｍを使って会議すること・車の運転・簿記３級

続いて、この情報をもとにオカザキ式プロンプトに沿ってChatGPTに指示をします。

＊プロンプト

私がしたいこと　副業で月10万稼ぎたい。
ChatGPTにしてほしいこと　具体的な副業アイデアを5個考えてほしい。
そのための条件　※あなたや対象となる人物像を記載。

すると次のような回答が得られました。※詳細な情報もありましたが割愛します。

ChatGPTの回答

・オンライン料理教室の開催
・サーフィンアドバイザー

・美味しいお店の情報サイト運営
・データ分析コンサルタント
・バーテンダー体験イベント

この中で最も気になるものを選ぶか、もしなければ「他に5個出して」などと指示をすると良いでしょう。ここでは「バーテンダー体験イベント」を例として考えてみます。

今回は場所代などのリスクを考えて、オンラインで開催する方法を検討してみましょう。そこでＣｈａｔＧＰＴに次のように指示を出します。

＊追加プロンプト

バーテンダーとＺｏｏｍを掛け合わせたら何ができる？

いくつかの回答を得られましたが、その中で次のものを選択します。

ChatGPTの回答

オンラインカクテルワークショップ：Ｚｏｏｍを使用して、オンラインでカクテルの作り方を教えるワークショップを開催できます。参加者は自宅で材料を用意し、バーテンダーからライブで指示を受けながらカクテルを作ります。

しかしこれだけでは具体性に欠けるためテーマを考える必要があります。
そこで次のように指示を出します。

＊追加プロンプト

テーマについて具体的に5つアイデアをください。

ChatGPTの回答

クラシックカクテル：代表的なクラシックカクテル（マルガリータ、モヒート、マティーニなど）を取り上げ、その歴史や作り方、バリエーションを解説するワークショップを行います。

シーズンカクテル：季節ごとに異なるカクテルをテーマに……

フルーツカクテル：美味しいフルーツを使ったカクテルをテーマに……

ヘルシーカクテル：カロリーや糖分を気にする人に向けて……

カクテルペアリング：食事との相性を楽しむカクテルペアリングを……

今回はクラシックカクテルをテーマに話を進めていくことにします。

これで何を売るかは決まりました。次は誰に売るかを考えていきましょう。

05-3

顧客を設定しよう

「誰に」を考えるためには、ターゲット層とペルソナを設定する必要があります。

ＣｈａｔＧＰＴによると、ターゲット層とペルソナとは次のようなものです。

ターゲット層（Target Audience）：

ターゲット層は、あなたの製品やサービスが主に向けられる、特定の層やグループのことを指します。これは一般的な特性や属性に基づいて定義されることが多く、市場全体を細かいグループに分けて対象を絞るための手法です。例えば、年齢、性別、職業、地域などがターゲット層の要因となることがあります。

ペルソナ（Persona）：

ペルソナは、ターゲット層をより具体的に理解するための架空のキャラクターを指します。ペルソナは、実際の人物としての特徴や背景、興味、行動パターンなどが詳細に描かれることで、そのターゲット層の特性をより具体的に表現する手法です。ペルソナを作成することで、ターゲット層を人間味のあるキャラクターとしてとらえ、よりリアルな視点でアプローチすることが可能です。

そこで前項での質問に続いて次のように投げかけます。

＊追加プロンプト

下記を売る場合、どんな人に売れば良いですか？

クラシックカクテル：代表的なクラシックカクテル（マルガリータ、モヒート、マティーニなど）を取り上げ、その歴史や作り方、バリエーションを解説するワークショップを行います。

ChatGPTの回答

クラシックカクテルのワークショップを売るには、以下のようなターゲット層を考えることが重要です。

カクテル愛好家：カクテルの歴史やバリエーションに興味を持つ……

趣味を楽しみたい人：カクテル作りを新しい趣味として楽しみたい……

特別な機会を探している人：クラシックカクテルは歴史やエレガントな……

カクテル文化に興味のある初心者：カクテルの基本を学びたい初心者にもアピールできます。クラシックカクテルの歴史や背後にあるストーリーを通じて、カクテル作りの楽しさを伝えることができます。

コミュニケーションや趣味を共有したいグループ：友人や同僚と共に……

これらのターゲット層に対して、カクテルワークショップの魅力や利点を強調し、プロモーションを行うことで、効果的にワークショップを売ることができるでしょう。

さて、しばらくバーテンダーの仕事から離れていることを考え、この中で最もやりやすそうな「カクテル文化に興味のある初心者」を選択しましょう。
次にこのターゲット層がどんな人か、ペルソナをＣｈａｔＧＰＴに考えてもらいます。

＊追加プロンプト

下記のペルソナを具体的に設定してください。

カクテル文化に興味のある初心者：カクテルの基本を学びたい初心者にもアピールできます。クラシックカクテルの歴史や背後にあるストーリーを通じて、カクテル作りの楽しさを伝えることができます。

ChatGPTの回答

もちろんです。以下に具体的なペルソナ例を示します。

名前：佐藤結花（Yuka Sato）
年齢：28歳
職業：会社員（マーケティング部門）
趣味：料理、旅行、アート鑑賞
関心：カクテル文化に興味を持ち、自宅で楽しむための基本的なカクテル作りを学びたい。
特徴：食べ物や飲み物に対する好奇心が旺盛で、新しい体験を楽しむことが好き。カクテルに関する知識はほとんどないが、カクテルの歴史やストーリーに興味を持っている。
目標：クラシックカクテルの基本的な作り方をマスターし、友人や家族と楽しいカクテルタイムを共有したい。また、カクテルの背後にある文化やストーリーを学びながら、新しい趣味を見つけたい。

このペルソナを対象にしたワークショップでは、カクテルの基本から始めつつ、歴史や文化的な側面も取り入れながら楽しんで学ぶことができるように配慮すると良いでしょう。彼女の興味を引きつけるエンゲージメントやコミュニケーションを大切にし、初心者向けのアプローチを心がけることが重要です。

もしこのペルソナをもっと精度の高いものにしたい場合は、**「佐藤結花の趣味は？」「交友関係は？」「1日の過ごし方は？」**などと質問してみてください。

また「40代男性のペルソナも設定してください」などと別タイプのペルソナを設定すると、幅広い層をカバーできるでしょう。

このような質問を重ねることで、より精度の高いペルソナが完成していきます。

これで「何を」「誰に」まで考えることができました。次はこの情報を商品にしていきましょう。

05-4

商品の詳細や金額を決めよう

ここまで出ている情報を5W2Hに沿って整理してみます。

Who（誰）：ターゲット　カクテル文化に興味のある初心者
　ペルソナ　佐藤結花（Yuka Sato）

What（何）：売るもの　オンラインカクテルワークショップ
　テーマ　クラシックカクテルの作り方を覚えましょう。

When（いつ）：

Where（どこ）：オンライン

How（どのように）：Zoom開催、申込方法はメールの返信

Why（なぜ）：

HowMuch（いくら）：

ここでなぜこのイベントをするのか、ペルソナである佐藤結花（YukaSato）に響く理由をChatGPTに作ってもらいます。

＊追加プロンプト

12月10日 19時～22時でイベント開催することを決めました。
佐藤結花（YukaSato）が来たくなる理由を作ってください。

ChatGPTの回答

もちろんです。以下に佐藤結花（Ｙｕｋａ Ｓａｔｏ）がイベントに参加したくなる理由をいくつか提案します。

新しい趣味を始めたい：Ｙｕｋａさんは食べ物や飲み物に対する好奇心が旺盛で、新しい体験を楽しむことが好きです。カクテル文化に興味を持っている彼女にとって、初めてのカクテル作り体験は新たな趣味を始めるきっかけになることでしょう。

カクテルの歴史や背景に興味がある：Ｙｕｋａさんはカクテルの歴史やストーリーに興味を持っています。イベントではクラシックカクテルの歴史や背景についても解説し、彼女の知識欲を満たすコンテンツを提供できるでしょう。

友人や家族と楽しい時間を共有したい：Ｙｕｋａさんは友人や家族と楽しい時間を過ごすことを大切にしています。カクテルワークショップは、彼女と彼女の大切な人たちが一緒に楽しいカクテルタイムを過ごす場となる可能性があります。

プロフェッショナルな指導が受けられる：イベントではバーテンダーのプロが指導するため、Ｙｕｋａさんは正確なカクテル作りのテクニックやポイントを学ぶことができると感じるかもしれません。初心者向けのアプローチで、自信を持ってカクテル作りを楽しむことができると魅力的に感じるでしょう。

特別な日に楽しみたい：イベントの日程が12月10日の19時〜22時であることから、Ｙｕｋａさんは平日の忙しい日常を抜け出して特別な夜を楽しみたいと感じるかもしれません。クラシックカクテルのワークショップは、平日の疲れを癒やす一夜として魅力的に映るかもしれません。

これらの要素を強調し、Ｙｕｋａさんの興味やニーズに合ったイベントの魅力を伝えることで、彼女が参加したくなる理由を創出することができます。

ここで「特別な日に楽しみたい」というワードからクリスマス前であることに気がつきました。そこで「クリスマス前に素敵なカクテルの楽しみ方を覚えませんか？」というメッセージを追加します。

このことを踏まえてＣｈａｔＧＰＴに金額も決めてもらいましょう。

＊追加プロンプト

「クリスマス前に素敵なカクテルの楽しみ方を覚えませんか？」というテーマを追加します。このイベントに佐藤結花（Ｙｕｋａ Ｓａｔｏ）はいくらなら参加しますか？　具体的な金額を提示してください。

ＣｈａｔＧＰＴの回答

具体的な金額を提示するには、地域や市場の価格相場、提供するコンテンツや特典、イベントの規模など多くの要因を考慮する必要があります。ただし、一般的な参考として、初心者向けの３時間程度のカクテルワークショップの参加費は、

20ドル～50ドル（またはその地域通貨での相当額）程度となることが多いです。

これは日本円で3000円～7000円程度ということになるでしょう。よって今回は5000円で設定することにします。

ここまできたらあとは商品案内を作るだけ！

最後のステップに進みましょう。

05-5

商品案内を作成しよう

それでは最後に、商品の案内を作りましょう。
5W2Hに沿って、ChatGPTに次のように指示を出します。

＊プロンプト

次の内容で、イベントにお誘いするメールを作成してください。
Who（誰）：ターゲット　カクテル文化に興味のある初心者
ペルソナ　佐藤結花（Yuka Sato）
What（何）：売るもの　オンラインカクテルワークショップ

テーマ　クラシックカクテルの作り方を覚えましょう。
クリスマス前に素敵なカクテルの楽しみ方を覚えませんか？

When（いつ）：12月10日 19時〜22時
Where（どこ）：オンライン
How（どのように）：Zoom開催、申込方法はメールの返信
Why（なぜ）：クリスマス前に素敵なカクテルの楽しみ方を覚えるため
How Much（いくら）：5000円

ChatGPTの回答

件名：クリスマス前特別企画！
　　オンラインカクテルワークショップに参加しよう！

こんにちは、佐藤結花さん（Yuka Sato）。

この度はお忙しい中、メールをお読みいただき、ありがとうございます。私たちからあなたに特別なお知らせがあります！

「クリスマス前に素敵なカクテルの楽しみ方を覚えませんか？」というテーマで、オンラインカクテルワークショップを開催いたします。

このワークショップは、カクテル文化に興味を持つ初心者の方々を対象に、クラシックカクテル作りの楽しさを共に学び、素敵なカクテルタイムを楽しむための一歩を踏み出す場となります。

【イベントの詳細】
テーマ：クラシックカクテルの作り方を覚えましょう。
　クリスマス前に素敵なカクテルの楽しみ方を覚えませんか？
日時：12月10日19：00〜22：00
場所：オンライン（Ｚｏｏｍを使用）
参加費：５０００円

　このワークショップでは、プロのバーテンダーがクラシックカクテルの歴史や作り方、アレンジ方法などをわかりやすくお伝えし、実際にカクテルを作りながら楽しむことができます。また、特別なテーマとしてクリスマス前にぴったりのカクテルもご紹介いたします。

　参加申し込み方法は、このメールにご返信いただくだけ。簡単な手続きで参加が確定します。

カクテルを楽しむ新たな世界を一緒に探求しませんか？　あなたの参加を心よりお待ちしております。

ご質問やご不明点がある場合は、どうぞお気軽にご返信いただくか、以下の連絡先にお問い合わせください。

メール：example@email.com
電話：012-3456-7890

素敵なカクテルの世界を共に楽しみましょう！　お会いできることを楽しみにしております。

ご検討いただき、ありがとうございます。

最良のご挨拶を添えて。

［あなたの名前］
［イベント主催者・連絡担当者］
［連絡先情報］

また、この内容を踏まえてSNSでの投稿をすることも検討してみましょう。X（旧Twitter）での投稿文章も考えてもらいます。

＊追加プロンプト

この案内を5通に分けてXで配信したい。
多くの人がイベントに参加したくなる内容を考えて。

ChatGPTの回答

もちろんです。以下にXで配信するための5通の案内ポスト例を提案します。
各ポストは140文字以内に収めるようにしています。

ツイート1：🎉クリスマス前特別企画！ オンラインカクテルワークショップ🍹
初心者のためのクラシックカクテル作りを楽しく学ぼう！
日程：12/10 19：00〜22：00
参加費：5000円
詳細はこちら↓［リンク］

ツイート2：🍸カクテル文化に興味のある初心者注目！
クリスマス前に素敵なカクテルの楽しみ方を学ぶチャンス！
プロのバーテンダーが指導♪
参加申込は簡単！［リンク］

ツイート3：✨クリスマスの夜を彩る特別なカクテルを作ってみませんか？
12/10の夜、オンラインで楽しいワークショップ開催！

初心者も大歓迎です🎄
詳細は↓［リンク］

ツイート4：🎅クリスマス前にカクテル作りを極めよう！
クラシックカクテルの作り方をプロのバーテンダーが伝授🍹
カクテル愛好家も初心者も参加OK！
詳細はこちら［リンク］

ツイート5：🥂カクテルを楽しむ新しい世界への扉を開こう！
クリスマス前特別企画、
オンラインカクテルワークショップを開催🎄
一緒に楽しい時間を過ごしませんか？
詳細と申込み［リンク］

これらのポストを適宜カスタマイズして、Xで配信することで多くの人々がイベントに興味を持ち、参加を考えることができるでしょう。リンクは実際の申込みページへのリンクに置き換えてください。

なんと絵文字まで織り交ぜて考えてくれました(笑)。
このように、SNSの投稿も簡単に作ることが可能です。

文章は条件などで変わってきますので、いろいろ試してみてください。また実際にこのワークショップを開催する場合には、話す内容を決める必要があるでしょう。それも「ワークショップの台本を作って」などの指示をすれば、ChatGPTが作成してくれます。

今回はオンラインワークショップを例に解説しましたが、この手順に沿ってChatGPTを使いこなすことで、あなたに適した商品や企画書などを作り出すことができます。ぜひトライしてみてください。

chapter

06

今すぐ使える！プロンプト集

- ChatGPTの回答は、2024年2月時点のものです。
- 回答の一部を編集している場合があります。
- ChatGPTを使う際には、機密情報は入力しないことをお勧めします。
- ChatGPTの回答には、偏見や不正確な情報も含まれている可能性があります。
- 専門的な分野に関する情報については、専門家の意見を参考にすることが重要です。

chapter 06
PROMPT 01

SCENE：日常生活

言葉や情報を深く知る

生活や仕事において言葉や情報を知りたい時、Web検索を用いる人は多いでしょう。そんな際にChatGPTを活用すれば、よりピンポイントで簡潔に答えを得ることができます。

私がしたいこと	ChatGPT について深く知りたい。
ChatGPTにしてほしいこと	今後活用されるであろう分野と、その内容を教えて。
そのための条件	できるだけ最新の情報を知るため、Web 検索して。

ChatGPTの回答

ChatGPTは自然言語処理において広範な応用が期待されています。以下は、今後の分野とその内容についての一般的な予測です。

顧客サポートと対話インターフェース:
ChatGPTがWebサイトやアプリでの顧客サポートや対話インターフェースで使用され、ユーザーとのスムーズな対話をサポートすることが予想されます。

医療分野:
医療関連の質問への回答や患者との対話、電子カルテの作成など……

応用例

日常生活で役立つChatGPTの使い方は？

「できるだけ頑張る」という意味の丁寧な言い方を3つ教えて。

SDGsに関する日本の最新トピックスを5つ挙げて。

chapter 06
PROMPT 

SCENE：日常生活・遊び

レシピを考案する

冷蔵庫にある材料で、作れるものが思いつかない！そんな時にもChatGPT。食卓がマンネリ化したときにもおすすめです。さらに、子供の遊びや工作などに応用することも可能。

私がしたいこと	レシピを知りたい。
ChatGPTにしてほしいこと	豚肉・玉ねぎ・じゃがいもで作れるレシピを挙げて。
そのための条件	和・洋・中の３種類。

ChatGPTの回答

1. 和風：豚しゃぶポン酢煮込み
材料：豚しゃぶ用の豚肉 300g、玉ねぎ 1個（薄切り）……
手順：鍋にだし汁を入れ、玉ねぎ、じゃがいもを加えて中火にかけます。
野菜が柔らかくなるまで煮込んだら、しょうゆ、みりん、さとう、だしを加えて混ぜます。
⋮

2. 洋風：ポークシチュー
⋮

3. 中華風：豚肉とじゃがいもの黒酢炒め
⋮

応用例

ブルーチーズを使ったレシピを5つ考えて。

玉ねぎをたくさん使うレシピを3つ教えて。

紙とビー玉を使った遊びを3つ教えて。

物語を創作する

物語の創作もChatGPTの得意分野。主人公の性格や、スタートとエンディングの条件を設定するだけで、楽しい物語を作り上げることができます。

Q.

私がしたいこと	子供向けの話を作りたい。
ChatGPTにしてほしいこと	「太郎くんが人参を好きになるような物語」を考えてください。
そのための条件	800字程度で。 太郎くんは甘いものが好きで、苦いものが嫌いです。

A.

ChatGPTの回答

「太郎くんの不思議な人参冒険」
むかしむかし、おいしいお菓子が大好きな太郎くんが住んでいました。チョコレートやアイスクリーム、フルーツの甘さに夢中で、野菜は苦手でした。特に人参が嫌いで、「苦いし、食べたくないなぁ」と思っていました。
ある日、太郎くんの家に、おばあさんが不思議な人参を持ってやってきました。その人参は普通の人参とは違って、きらきらと輝いていました。おばあさんはにっこり笑って、「これは特別な人参だよ。食べると不思議なことが起きるんだよ」と言いました。……

応用例

いじめっ子が反省するお話を考えて。物語の途中で、いじめっ子は自分の寂しさに気づくというエピソードも入れて。

幼なじみの3人が、一度はそれぞれの道を歩みつつ、10年経ってまた再会する話を考えて。2人は成功しましたが、1人は自堕落な生活を送っています。舞台はアメリカです。

chapter 06
PROMPT 
SCENE：スタートアップ／事業計画

ロードマップを作る

新たな事業を起こす際、重要なのがロードマップ作りです。ロードマップ上で不明点がある場合、「オーガニックコーヒー市場の需要とトレンドを教えて」と追加で質問するのもいいでしょう。

Q.

私がしたいこと	オーガニックコーヒーのお店を開店したい。
ChatGPTにしてほしいこと	ロードマップを考えて。
そのための条件	10ステップで。

A.

ChatGPTの回答

オーガニックコーヒー店開業のロードマップ
1. 市場調査とニッチの特定：
ターゲット市場を特定し、競合分析を行う。
オーガニックコーヒー市場の需要とトレンドを確認する。

2. ビジネスプランの作成：
⋮

10. 成果分析と成長戦略の構築：
オープンから数か月後にビジネスの成果を分析し、売り上げや利益を確認する。
成果をもとにして今後の成長戦略を検討し、新たな提案やサービスの導入を検討する。

応用例

できるだけ簡単にWebサイトを立ち上げるにはどうすればいい？

雑誌を作るには、どんなスタッフが必要？

居酒屋の売り上げを上げるためには、どんなことが必要？

SCENE：リサーチ／表作成／日常生活

リサーチして表にまとめる

リサーチして比較検討する場合、表組にした方が一覧性がいい場合があります。ChatGPTなら、条件を設定してリサーチし、任意の順番に並べることも可能です。

私がしたいこと　新しいスマートフォンを買いたい。

ChatGPTにしてほしいこと　人気のスマートフォン5つを挙げて、その長所と短所と価格を表組にまとめて。

そのための条件　10万円以内で、安い順に並べて。

ChatGPTの回答

以下は、10万円以内で人気のスマートフォン5つについての簡単な表組みです。

スマートフォンモデル	長所	短所	価格
Xiaomi Redmi Note 10 Pro	・高性能なカメラシステム ・大容量バッテリーと高速充電	・MIUIは好みが分かれる可能性がある ・重量感がある	約30,000円
Google Pixel 4a	・カメラの画質が優れている ・純粋なAndroidエクスペリエンス	・プラスチック製のボディが安っぽい ・バッテリー寿命は平均的	約35,000円

応用例

世界のGDPのトップ10を、その国のGDPと人口や主要な5産業とともに表組にして。

日本で人気のファッション系インスタグラマーを、フォロワー数と人気の理由とともに表組にして。

chapter 06
PROMPT 06

SCENE：面接／取材／リサーチ

テーマをもとに必要な要素を考える

初めての人と話したり、面接などの際には、想定される質問などを事前に考えておくことも重要です。ChatGPTを使えば、テーマや相手などに応じた質問のリストを作成することが可能です。

Q.

私がしたいこと　IT企業の社長にインタビューします。

ChatGPTにしてほしいこと　質問する際の項目を考えて。

そのための条件　テーマは「貴社の強みと今後の展望」です。

A.

ChatGPTの回答

1. 貴社の強み：
a. 技術力とイノベーション：　貴社が強みと考える技術やイノベーションの取り組みは何ですか？　新しい技術やトレンドにどのように対応していますか？

b. 人材とチームの力：　貴社のチームや従業員の強みは何ですか？　どのようにして優れた人材を確保し、育てていますか？

⋮

これらの質問をベースに、具体的な事例や数字を交えながらインタビューを進めることで、より深い理解が得られるでしょう。

応用例

自己PRに必要な項目を10個挙げて。

30代男性の好む会話のテーマを教えて。

chapter 06
PROMPT 

SCENE：執筆／企画書／日常生活

箇条書きを文章にする

仕事上の商品説明や企画書の内容から、プライベートでのメールやSNSまで、文章をまとめるのは本当に面倒ですよね。そんな時には、箇条書きをChatGPTに文章化してもらいましょう。

私がしたいこと	出版社への自己PRを作成したい。
ChatGPTにしてほしいこと	下記の内容を文章にして。
そのための条件	現代文学と漫画に詳しい／大学在学中に800冊の小説を読破／大学の現代文学研究会で部長／毎年トークイベントで150人を集めた／出版社でのインターンでは新人作家のコラムを任されていた

ChatGPTの回答

私は現代文学と漫画に深い理解を有する者として、出版社での活動に熱心な興味を寄せております。大学在学中には、800冊以上の小説を読破し……また、毎年主催していたトークイベントでは、150人以上の参加者を集め、文学や漫画に関する熱狂的なディスカッションの場を提供しました。……出版社でのインターン経験においては、新人作家のコラム担当として、編集業務に携わりました。……これらの経験から得た洞察力と柔軟性を活かし、出版社の一員として新しい文学の扉を開くお手伝いができることを心より期待しております。

応用例

次の内容を、子供向けの挨拶文にして。

下記の内容について、800字程度の謝罪文を書いて。

下記の商品の特徴から、140字程度のXポスト文を書いて。

項目を分析しパターンを見つける

リサーチしたけれども、その量が多く分析が難しい……。そんな場合は、データをパターン化して傾向を把握するのがいいでしょう。GPT-4を用いれば、エクセルなどからも読み込むことが可能です。

Q.

私がしたいこと　「付き合いたい男性」で挙がった下記の意見を分析したい。

ChatGPTにしてほしいこと　下記をパターンごとに分類して。
ルックスの良さ・高身長・おしゃれ・仕事ができる・やさしい・家庭的・自分に厳しい・健康的・タバコを吸わない

そのための条件　5つのパターンで。

A.

ChatGPTの回答

1. 外見重視パターン：ルックスの良さ／高身長／おしゃれ
このパターンでは、外見的な要素に重点を置いており、相手の外見に魅力を感じることが重要です。
2. 成功要素パターン：仕事ができる
このパターンでは、相手の職業や仕事のスキルに価値を置いており、成功したプロフェッショナルな一面が重要です。
3. 性格・人間関係重視パターン：やさしい／家庭的／自分に厳しい
このパターンでは、相手の性格や対人関係に焦点を当てており、やさしさや家庭的な素養、自己管理能力が重要です。

応用例

以下の国について、共通点を教えて。イギリス・フランス・ドイツ・オーストラリア。

農業が盛んな都道府県に、その他の共通点はありますか？　いくつか都道府県を挙げて教えてください。

無印良品とイケアの共通点は？

chapter 06
PROMPT 09

SCENE：遊び／日常生活

架空の対談を書いてもらう

ちょっと変わった使い方として、フィクションとしてではありますが、有名人や歴史上の人物の対談を行ったり、意見を聞いたりすることができます。アイデアを考える際のちょっとしたヒントにしてみてください。

Q.

私がしたいこと	架空の対談を読んでみたい。
ChatGPTにしてほしいこと	坂本龍馬とソクラテスの対談を行ってみてください。
そのための条件	テーマは「人生で価値があるもの」について。 双方の意見を聞いてください。

ChatGPTの回答

坂本龍馬: ソクラテス様、この度はお時間を割いていただき、ありがとうございます。私は、人生で価値のあるものについて考えることがよくあります。貴方は、どのようなものが人生に真の価値をもたらすとお考えですか？

ソクラテス: 坂本龍馬君、あなたの興味深い問いに感謝します。私の哲学では、人生における真の価値は徳と知恵にあります。徳は善良さや正義心を持ち、知恵は自己認識や自己向上を意味します。これらのものが人生に意味と満足をもたらします。

坂本龍馬: 徳と知恵ですね。確かに、これらは人生において重要な要素であると感じます。しかし、私の考えでは、人生に価値を与えるものには、社会の変革や革新も含まれると思います。……

応用例

ピカソとレオナルド・ダ・ヴィンチの対談を行ってみてください。テーマは「芸術と生活」について。

ChatGPTについて、福沢諭吉の意見を聞いてみたい。

居酒屋の売り上げが少ない時、ピーター・ドラッカーならどうすると思いますか？

SCENE：占い／日常生活

四柱推命を使って自分の運勢を占ってもらう

生年月日などの情報をもとにした占いであれば、ChatGPTを使って占うことができます。まずは必要な情報をChatGPTに聞いた上で、その情報をChatGPTに教えることで、さまざまな占いを楽しむことができます。

Q.

私がしたいこと　四柱推命を使って自分の運勢を占ってほしい。

ChatGPTにしてほしいこと　必要な情報を教えてください。

ChatGPTの回答

四柱推命は、生まれた年、月、日、そして生まれた時間に基づいて個人の運勢や性格を占う伝統的な中国の占い方法です。あなたの四柱推命の占いを行うためには、以下の情報が必要です。

生まれた年：西暦で教えてください。

生まれた月：例えば、1月なら「1月」のように教えてください。

生まれた日：日にちを教えてください。

生まれた時間：日本の場合、午前か午後のどちらかを指定し、具体的な時刻を教えてください。

これらの情報を提供していただければ、四柱推命に基づいて簡単な運勢や性格の特徴を教えることができます。……

応用例

生年月日をもとにした占いには、どんなものがありますか？

名前から性格を分析する占いを教えてください。

「岡崎かつひろ」を画数占いで占ってください。

文書の形式を指定したり、改善点を探す

会議のテープ起こしから議事録にまとめるなどの際、フォーマットを指定すればその形に落とし込んでくれます。ポイントは発言者の名前を明記することと、「こそあど言葉」を使わないことです。

Q.

私がしたいこと	会議のテープ起こしから議事録を作成したい。
ChatGPTにしてほしいこと	添付の資料を議事録にして。
そのための条件	以下のフォーマットに簡潔な形で落とし込んでください。 ◆参加者 ◆要点 ◆結論 ◆ネクストアクション

A.

ChatGPTの回答

◆参加者／鈴木・加藤・山崎・本田
◆要点／新商品の缶コーヒー「ブルマンデラックス」の強みは洗練されたデザインと甘さ控えめの味。特にリサーチでは若い女性に人気があった。
……
◆結論／ターゲットを絞り込んだ販売計画が必要。
……
◆ネクストアクション／首都圏のアンテナショップにコーナーを作り、ターゲットである若い女性に訴求する。……

応用例

添付資料から〇〇について抜粋して。

この資料の良い点、悪い点をそれぞれ教えて。

誤字脱字などの可能性がある箇所を教えて。

企画書の構成を考える

ChatGPTは、企画書の構成も考えてくれます。各ページに関しても、箇条書きで概要を伝えた上で「背景と目的を書いて」などと指示することで書いてもらうことが可能です。

Q.

私がしたいこと	「色鮮やかな3D動画が撮影できるカメラ」をプレゼンしたい。
ChatGPTにしてほしいこと	企画書の構成を考えて。
そのための条件	10ページで。

ChatGPTの回答

企画書: カラフル3D動画カメラプロジェクト
【プロジェクト概要】
背景と目的
ターゲット市場: クリエイター、映画製作者
期待される成果: 鮮やかな色彩と没入感のある3D動画
【市場調査と競合分析】
3D動画市場の成長予測
既存の3D動画カメラの弱点と改善の余地
競合他社の製品との比較
⋮
以上が10ページの企画書の提案構成です。各セクションには必要に応じて具体的なデータやグラフ、イメージを挿入して、プレゼンテーションがわかりやすくなるように工夫してください。

応用例

「ChatGPTの未来」というテーマで、中学生向けのスライドの構成を考えて。

テーマ「私が禁煙した理由」という講演の構成を、4ページで考えて。

親友の結婚式のスピーチの構成を考えて。

デートコースを作成してもらう GPT-4

初めてのデート。あまり詳しくないエリアに出かける時は、場所を探すのも一苦労ですよね。そんなときにもGPT-4を使えば、Webの情報を参照しながらデートコースを組むことができます。

Q.

私がしたいこと　横浜で11時から20時までデートをしたい。

GPT-4にしてほしいこと　デートコースと時間割を作成してほしい。

そのための条件　Web データを参照してください。

お付き合いする前です。初めて2人で会います。昼の11時から20時までの予定です。場所は横浜。日曜日です。お互い学生で、予算は1人1万円まで。彼女は夜景が好きでゆっくりと夜景を見れる場所で食事を取りたい。

A.

GPT-4の回答

11:00 - 12:30： ランチ&散策
横浜駅周辺のカフェでランチを楽しんだ後、山下公園や中華街を散策しましょう。

⋮

17:00 - 18:30： 夜景スポット「ランドマークタワー」
夜景が好きな彼女のために、ランドマークタワー周辺で夕暮れから夜景を楽しむ。展望台や周辺の景色が美しいです。

18:30 - 20:00： ディナー
夜景が綺麗に見えるレストランでディナー。シーフードやグリルが楽しめるお店があります。リラックスしておしゃべりしながら美味しい食事を。

ポイント

先に十分な候補を上げてもらった上で、「〇時～〇時の予定で、〇、〇、〇を訪れるタイムスケジュールを組んでください。Webを参照してください」とすると、より好みに近づけることができます。しかしながら、現時点では移動時間などは考慮されていない可能性もありますので、参考程度にするのが良いでしょう。

健康相談に乗ってもらう GPT-4

体調がすぐれない際、GPT-4に相談したり、医師から処方された薬の効果を調べることもできます。ただし、これは参考にする程度にしておき、実際の診断は医療機関で行うようにしましょう。

私がしたいこと	どんな病気の可能性があるか知りたい。
GPT-4にしてほしいこと	症状から病名を推測してほしい。
そのための条件	2週間ほど前から口の中に鉄っぽさを感じている。

GPT-4の回答

口の中に鉄のような味を感じるという症状は、いくつかの異なる原因によって引き起こされる可能性があります。ここでいくつかの一般的な可能性を挙げますが、最終的な診断や治療のためには医療専門家の診察が必要です。
口内炎や歯肉炎：口腔内の傷や感染症は鉄っぽい味を感じさせることがあります。

⋮

もし症状が持続するか、他の気になる症状がある場合は、医療機関を受診して専門家の意見を聞くことをおすすめします。

応用例

口内炎や歯肉炎の場合、どのような治療が望ましいですか？

Webを参照しながら、最新の抗炎症薬と鎮痛薬を3つずつ紹介してください。

ロキソニンという薬はどのような時に有効ですか？

chapter 06
PROMPT 

SCENE：リサーチ／資料作成

事例をWeb参照しながらリサーチする GPT-4

プレゼン資料を作成する際、その根拠となるデータやエビデンスとなる事例があれば、より説得力を高めることができます。そんなリサーチの際にも、GPT-4 を活用することができます。

私がしたいこと	味噌の健康効果を調べています。
GPT-4にしてほしいこと	科学的に味噌が健康に良いことを示したデータを探してほしい。
そのための条件	Web データを参照し、日本語に翻訳してください。

GPT-4の回答

味噌は、その独特の風味と香りで知られる伝統的な発酵食品であり、その健康効果が科学的に認められています。ここでは、さまざまな研究および情報源からの主要な発見をまとめました：

栄養価と潜在的治療特性：味噌は大豆と穀物から作られ、コウジ酵素と有益な微生物による発酵を経ています。このプロセスは、その独特な風味とテクスチャーだけでなく、栄養特性を高めると考えられています。

応用例

10代の若者から全世代に広まったブームを、参考となるWebサイトを示しながら教えて。

アナログレコードの復活について、その背景となる理由を示しながら語ってください。

一度は世間から忘れ去られたものの、人気が復活したミュージシャンは？

SCENE：投資／リサーチ

Webデータから株式投資先を検討する GPT-4

2023年11月のアップデートより、有料版GPT-4ではWebデータの検索を行うことが可能です。この機能を用いることで、株式投資先としての妥当性をGPT-4に調べてもらう事も可能です。

Q.

私がしたいこと	株式投資の投資先を検討したい。
GPT-4にしてほしいこと	ソフトバンクについての最新の動向と今後の見込みを調べてほしい。
そのための条件	Webデータを参照してください。

A.

GPT-4の回答

ソフトバンクに関する最新の動向と今後の見込みについて、以下の情報が得られました。

最近の業績と資金調達の状況:ソフトバンクグループは2023年12月までの四半期に約60億ドルの損失を報告しました。これは4四半期連続の損失であり、ソフトバンクの基本的な経営方針に多くの疑問を投げかけています。……

マーケットの不況により、新規の投資活動は大幅に削減され、ソフトバンクは投資戦略を見直しています。過去の投資サイクルのピーク時には四半期ごとに200億ドル以上の投資を行っていましたが、現在は投資額を大幅に減らしています。

応用例

GPT-4では［"］のマークをクリックすると、データもとを確認することができるようになっています。エビデンスのあるデータもとを選択しているケースもあれば、個人の意見をまとめたブログから情報を取得しているケースもあります。今回のソフトバンクのデータは公式な発表に基づくものであったので価値ある情報だったと判断します。

SCENE：資料作成／リサーチ

資料やWebサイト、動画を要約する GPT-4

「渡された資料を読むのが面倒…」仕事している上で、そんな経験はありませんか？ GPT-4なら、添付した資料やWebサイトを要約してもらったり、自分のほしい回答を取得することも可能です。

Q.

私がしたいこと	インタビューを簡潔にまとめたい。
GPT-4にしてほしいこと	添付のインタビューを要約して。
そのための条件	200文字程度で、デザインと機能についても触れてください。

A.

GPT-4の回答

○○社が動画部門に進出し、フィルムカメラで培った技術を活かして多彩な機能のムービーカメラを展開。デザインはクラシックで洗練され、ボディにはアルミニウムを採用。この素材の選定理由は、高級感ある外観と堅牢性を兼ね備え、軽量化が図れる点。高速撮影・手ぶれ補正・自動追尾・防水性能・長時間録画など機能面でも優れており、デザインと機能性のバランスでユーザーの要望に応えている。

応用例

無料のGPT-3.5でも文章の要約は可能ですが、GPT-4なら、添付した資料についても要約することが可能です。さらに豊富なプラグインを活用することで、WebサイトやYouTube動画の内容も要約することができます。要約だけでなく、さまざまな機能のプラグインが提供されていますので、「GPT-4 プラグイン 一覧」で検索してみてください。

chapter 06
PROMPT 18

SCENE：イラスト作成／グラフ化

絵を描く GPT-4

GPT-4では絵を描いてもらうことが可能になりました。さらに数値をグラフなどで表現することも可能です。ここでは、チラシなどに使えるイラストをGPT-4に描いてもらう手順をご紹介します。

Q.

私がしたいこと	イベント集客用のチラシを作りたい。
GPT-4にしてほしいこと	チラシに使うイラストを作ってほしい。 平面的で親しみやすい雰囲気にしてください。
そのための条件	イベントの内容は下記のとおりです。 地域のマルシェ。主にオーガニックな商品を紹介します。食事ができたり、オーガニック野菜の栽培体験ができます。50ほどのお店が出店します。テーマは「地域の健康を守る！　オーガニックの力」です。

A.

GPT-4の回答

ポイント

イメージが違う場合は条件を加えたり、「他にも作ってください」と指示すればOKです。また、「このイラストのSEED値を教えてください」として出てきた数字をメモしておき、「SEED値は××です」と指定すれば、同じテイストのイラストを作成することができます。

あとがき

私たちはChatGPTでバカになるのか？

「ChatGPTを使うと考える力が弱くなる。だから子どもたちに使わせてはいけない」

というのは、ある番組でコメンテーターが言っていたことです。

なぜChatGPTを使うと考える力を失ってしまうと思ってしまうのでしょう？


例えば電卓。私たちは日常的に電卓を使います。結果的に計算能力は弱くなったかもしれません。

しかし反面、数字をどう使うのかに頭をシフトすることができています。

今では電話番号を覚えることもありません。たしかに数字を暗記する能力は弱くなっているかもしれませんが、その分、通話先の人に思いを馳せることができるようになりました。


ChatGPTを活用することで失うものはもちろんあるでしょう。

しかしそれは今まで我々が不要としてきたことと同じ。新しい技術の登場とともに失うべき能力なのではないでしょうか。


ではChatGPTで私たちが逆に得られるものは何か？

私は、ChatGPTを使うことで「漠然とした考えの中でなんとなく過ごしていた時間」を失うかわりに、「生産的に考える力」を得ると考えています。


なぜなら、ChatGPTで最も重要なのは、
・自分がしたいこと
・ChatGPTにやってほしいこと
・そのための条件
をそれぞれ〝考える〟ことだからです。

今までの対人でのやり取りなら曖昧で良かったことも、ChatGPTを使いこなすには明確に

しなければなりません。つまり、ChatGPTを使いこなすことを考える方がずっと頭を使うことになり、より優秀な人が育つのではないかと思っています。

ChatGPTは「人をバカにするツール」ではなく、「賢くするツール」なのです。

いまあるChatGPT関連の情報はChatGPTを使えている人がより使いやすくするための情報ばかり。これでは情報格差が広がってしまいます。

本当はもっとカンタンにラクに使っていいのです。

「オカザキ式プロンプト」があなたの思考と文章作成に大いに役立つことを期待しております。

最後になりますが今回の書籍でお世話になった皆様にお礼申し上げます。

さまざまなアドバイスをいただいた服部真和先生。最新の技術であり、参考にする情報が少ない中で最先端を担う先生のアドバイスはなくてはならないものとなりました。

また本書の企画、編集を担当してくださった黒岩久美子さん、木村浩章さん。お二人がいなければ決して書籍にすることはできなかったと思います。

そして最後までお読みいただいたあなたへ。本当にありがとうございます。

ChatGPTが「書けない」「思いつかない」「できない」をなくし、一番ラクして頭のいい人になるお手伝いができれば幸いです。

そこで最後にプレゼントです。

次の二次元コードをスマートフォンで読み込んで、公式LINEに「ラクして頭がいい人」と入力してください。「オカザキ式プロンプト」を実際に使ったレクチャー動画を送らせていただきます。

ChatGPTが、素晴らしい能力向上のための素敵なサポートになりますように。

「書(か)けない」「思(おも)いつかない」「できない」がなくなる！ ChatGPTで一番(いちばん)ラクして頭(あたま)のいい人(ひと)になる

2024年2月29日 第1刷

著　者　岡崎 かつひろ

編　集　黒岩 久美子
制作協力　木村 浩章

発行者　菊地 克英

発　行　株式会社東京ニュース通信社
〒104-6224 東京都中央区晴海1-8-12
電話 03-6367-8023

発　売　株式会社講談社
〒112-8001 東京都文京区音羽2-12-21
電話 03-5395-3606

装　丁　西尾 浩　村田 江美
イラスト　HIRO

印刷・製本　株式会社シナノ

ISBN 978-4-06-535235-9